超難問でボケ退治！

［監修］
篠原菊紀

PHP

超難問でボケ退治！
1日1問　鬼脳トレ100
もくじ

「難問」にトライすることで前頭前野を鍛えよう

公立諏訪東京理科大学教授　篠原菊紀

新鮮で難解と感じる問題に脳は活性化する

本書をお手にとった方は、私の監修する「脳トレ366シリーズ」（PHP研究所刊）の愛読者が多いかもしれません。

ひととおり問題を解き終え、充実感とともに物足りなく思い、「次のステップの本はないか」「あればもっと難しい問題に取り組んでみたい」と思われている方もいらっしゃるかもしれません。

また、懸賞プレゼントつきのパズル雑誌の愛読者の方もいらっしゃることでしょう。

この本には本格的で難しめの脳トレ問題ばかりを掲載しており、1日1問、本格的で難解な問題で、脳を鍛えることを目的としています。

「ワーキングメモリ」とは、脳のメモ帳と呼ばれる機能のことです。これは、記憶や情報をいったん脳にメモし、処理する力のことです。私たちは、日々、この「ワーキングメモリ」の機能を使って生活をしています。この働きにかかわるのが前頭前野、頭頂連合野です。

私たちは、歳を重ねるごとに物事に慣れていきます。慣れた頭の使い方では前頭前野などはあまり使われません。この部位は、鍛えれば効果は上がりますが、鍛えないとおとろえていってしまうのです。

そもそも、脳トレの問題を解いているときの脳の活動を調べると、問題の客観的な難易度に応じて活性化の度合いが増すわけではないことが研究でわかっています。

つまり、難解な問題だからといって脳が大きく活性化するわけではないということです。

解くご本人にとって初めて目にするような問題だったり、難しいと感じたりするときに脳が活性化し、手慣れてサクサク解けるようになると、たとえ超難問であっても鎮静化してくるのです。

脳トレで主に鍛えられる前頭前野では、とくに加齢によってその働きがおとろえやすい傾向にあります。

難問に何度でも繰り返しチャレンジ！

前頭前野は、会社でいうと、役員や社長さんのようなものです。現場にかかわることは少なく、普段はいなくても会社は回りますが、危機的な状況や大切な転換期には中心的存在となり、社員を引っ張っていくような大活躍が必要になる存在です。

そして十分に体制ができ、調整がついたら、その役割は小さくなっていきます。

ですから前頭前野を鍛えたければ、本格的な難問・超難問にトライするのが一つの有効な手段なのです。

いわゆる難問・超難問なら誰にとっても難しいものです。それぞれ、得意、不得意の分野があると思いますが、なかなか解けず、歯が立たないという問題も出てくるかもしれません。

しかし、この本を取られた方は、「もっと難しい問題に取り組んでみたい」とあえて難問にチャレンジするような方です。そんな方なら、「できない」と言って放り出す（脳があきらめ鎮静化する）心配はないでしょう。

また、本格的な難問は一度解けても、しばらく後で再びチャレンジするとやはり難しいものです。ですから、何度でもトライできます。ぜひ、繰り返しチャレンジしてみてください。

家事でも脳の活動を高めることはできる

筆記用具を片手に問題を解くこととともに、日常生活での家事も脳トレになります。

掃除や洗濯、料理や皿洗い、庭の手入れや裁縫(さいほう)など、手を使う家事は脳トレのチャンスになるのです。ただ、手慣れたことの繰り返しは脳がリラックスしてしまうので、脳の活動が鎮静化してしまいます。

ですので、いつもより少し「気持ちを込める」、めんどうなことも「手間ひまをかける」こと。それだけで脳の活動を高めることができます。

たとえば、リンゴやジャガイモの皮むき、キャベツの千切りなどをいつもより心を込めて丁寧にしてはいかがでしょうか。

また、風呂掃除や窓ふきなどをするときに、ふきながら「きれいになれ」と念じると脳は活性化します。背伸びをして窓ふきをしたり、風呂掃除を中腰で行なったりすると筋力もつかうのでおすすめです。

ウォーキングをしながら頭の体操を！

脳の健康寿命を延ばすには、脳トレ問題に加えてウォーキングや軽い筋トレなど、運動を習慣化することが有効です。ここでは、ウォーキングをしながら頭の体操もできるヒントを紹介します。

●ウォーキングしながら掛け算の九九を逆唱 →海馬の活動を高め記憶力アップに

2～3分間ゆっくりウォーキングしながら頭の中で九九を逆唱（9の段から1の段になるように唱えること）。次の2～3分間は、大股で早歩き。その後またゆっくり歩きながら九九を逆唱。

●ウォーキングしながら最後の言葉しりとり →集中力、思考力アップに

しりとり
むし
アイスクリーム
ココア

ウォーキングしながら声を出してのしりとり。たとえば「しりとり」から始めたら、次は最後の言葉が「し」で終わる言葉を探して答える（「むし」）。その後、しりとりを続ける。

本書の使い方

◆本書では本格的な脳トレを100問紹介しています。1日1問、解いてみましょう。

◆もっとやりたい！　という人は、一度に数日分をやっても結構です。

◆問題は好きなところからやってもOKです。パッと開いたページからやっても結構です。問題ごとに日付の記入欄がありますので、どの問題をやったのか、やっていないのかがわかるように記入しておきましょう。

◆問題を解いていて、わからないときは解答を見るのではなく、まずは辞書をひくなど自分で調べてみましょう。

◆ひと通りできたという人は、2回目にチャレンジしてみましょう。

◆回答の書き込みを鉛筆でしておくと、消すことができるので何度でも使えます。

1 クロスワード

この解答は110ページ

タテのカギ、ヨコのカギをヒントに、クロスワードを解いてください。A～Eの文字を並べてできる言葉は何でしょう？

月 日

1	2		3	4	■	5	6
7		■	8		9	A	
10		11 D	■	12		■	
	■	13	14		■	15	
16	17	■	18		19	E	■
■	20 C	21		■	22		23
24			■	25		■	
26				B	■	27	

解答

A	B	C	D	E

タテのカギ

1 カメラで撮る対象となる人や物や景色
2 おしゃべり。○○○番組
3 吉野、秋田、屋久といえばこの針葉樹
4 神社仏閣などを建てる専門職
5 夜が明けると訪れる
6 自動車教習所に通って取る
9 チューブやパイプのこと
11 樹木の胴体部分
14 夏向きの○○○セーター
15 ひたむきなさま
17 舞台で○○○○ライトを浴びる俳優
19 軽くて暖かい布団の中身
21 仏を守る、二神一対の金剛力士
23 収入が支出よりも多いこと
24 物事の中心。チームの○○となる選手
25 ことわざ「○○より証拠」

ヨコのカギ

1 畑仕事の途中でちょっと休憩
5 ポツポツ…と降り出した
7 等級で１番目がAの時、３番目は？
8 後の方から前へさかのぼって数えること
10 そばに添える、ネギやワサビなど
12 子どもが「ヤダヤダ」とこねる
13 風変わりで珍しい祭り
15 現在の愛媛県にあたる旧国名
16 座り心地で選びたい家具
18 相撲で、前頭以上の力士
20 小形のウマの総称
22 糸のように細い海藻
24 おかかの原料になる魚
25 「お疲れ様」と○○をねぎらう
26 文章に打つ「。」と「、」
27 各都道府県の長

この解答は110ページ

漢字詰めクロス

月　日

すでに入っている「千」や「眼」のように、マス目に〈リスト〉の漢字を入れてクロスワードを完成させ、〈リスト〉に残った２文字でできる言葉を答えてください。

千	里	眼	■	行		■	社
代	■		指	■		評	
	面	■			券	■	現
■		粉	■	待	■	対	
後		■	吸	■	傾		■
■	分			集	■		
牧	■	行	■		地	■	硝
	食		物	■		調	

解答

〈リスト〉

☑千　□車　□品　□動　□草
☑眼　□中　□白　□期　□気
□窓　□別　□力　□紙　□子
□商　□半　□向　□団　□象
□収　□定　□名　□会

この解答は110ページ

スケルトン

マス目の数と同じ文字数の言葉を〈リスト〉から選び、当てはめてください。最後に、〈リスト〉に残る言葉を答えてください。※小さい「ッ」や「ャ」なども大きな文字として扱います。

月　日

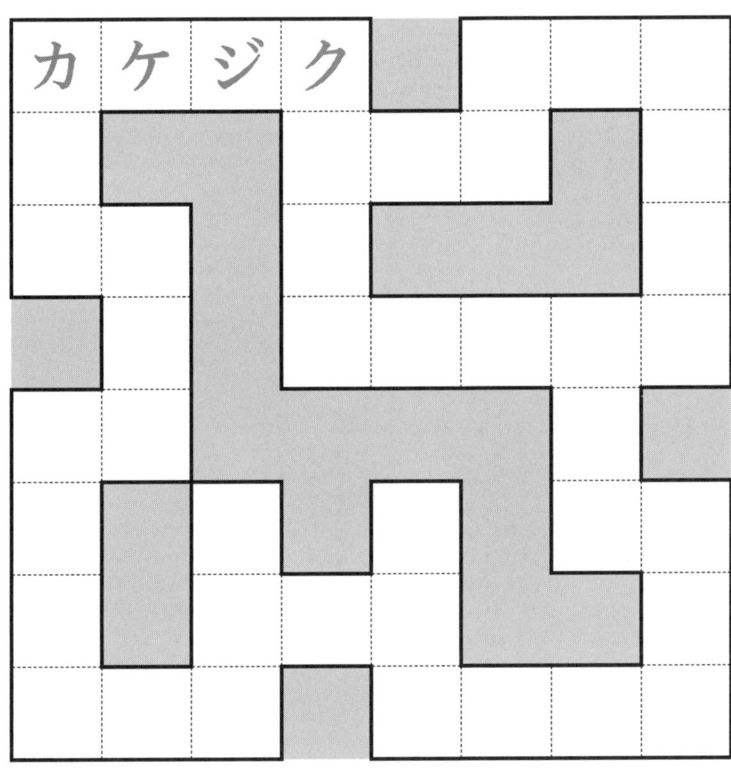

解答

〈リスト〉

2文字
- □エビ
- □サオ（竿）
- □ナワ（縄）
- □ハタ（旗）

3文字
- □オマケ
- □カタナ（刀）
- □クルマ（車）
- □クルミ
- □ツクエ（机）
- □ツバサ（翼）
- □ハート
- □メウエ（目上）
- □ヤミヨ（闇夜）
- □ロカタ（路肩）
- □ワサビ

4文字
- □エダマメ（枝豆）
- ☑カケジク（掛け軸）
- □クロゴマ（黒胡麻）
- □トランプ
- □ヨビカケ（呼び掛け）

5文字
- □マグカップ

この解答は110ページ

漢字読みアロー（配達）

マスに入っている漢字もしくは熟語の読みを、矢印が示すところに入れてください。タテに入る言葉は上から下、ヨコに入る言葉は左から右に入ります。最後にA～Eの文字を並べてできる言葉を答えてください。

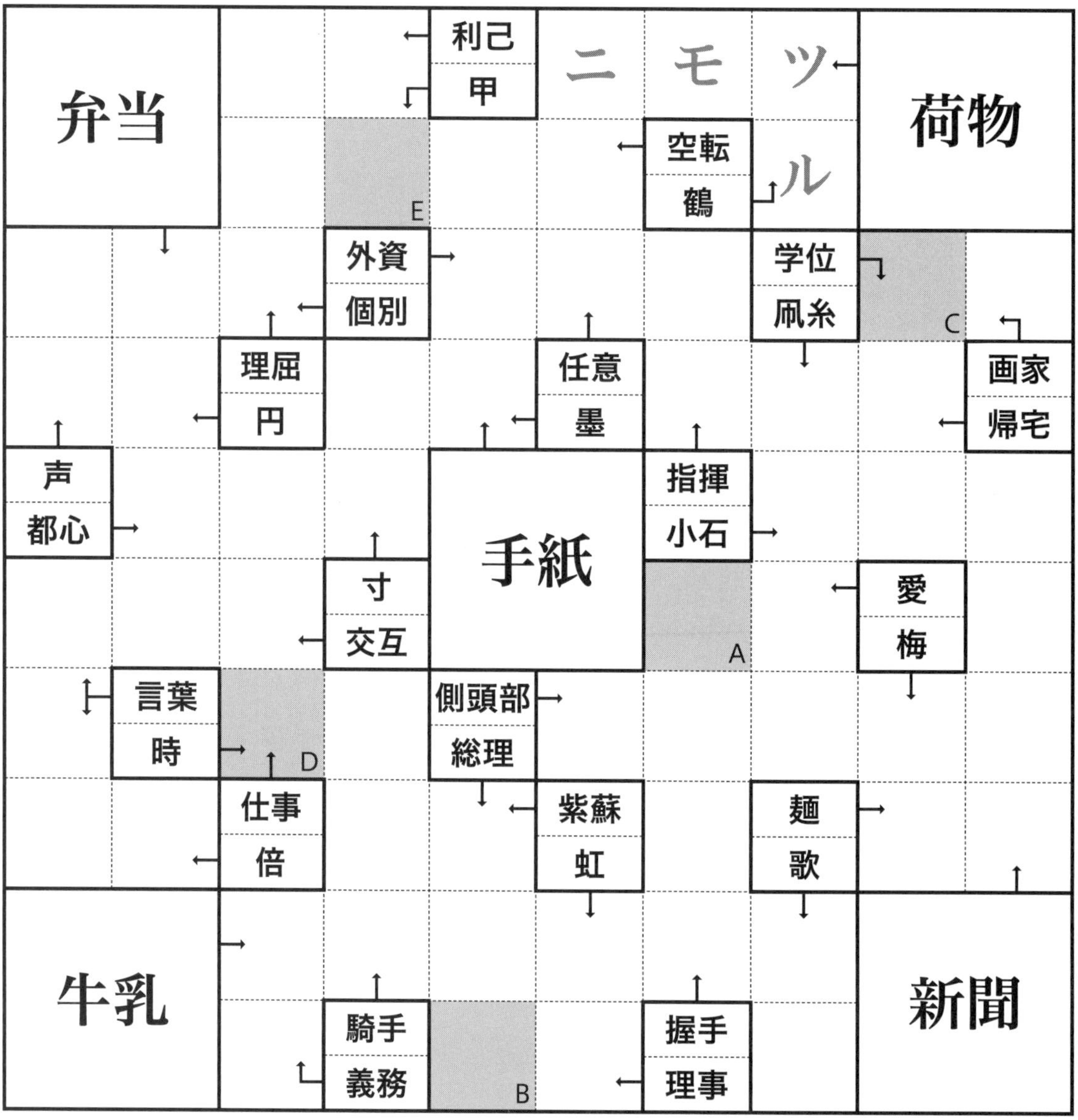

弁当　利己　甲　ニ　モ　ツ　荷物

空転　鶴　ル　E

外資　個別　学位　凧糸　C

理屈　円　任意　墨　画家　帰宅

声　都心　手紙　指揮　小石

寸　交互　愛　梅　A

言葉　時　D　側頭部　総理

仕事　倍　紫蘇　虹　麺　歌

牛乳　騎手　義務　B　握手　理事　新聞

解答

A	B	C	D	E

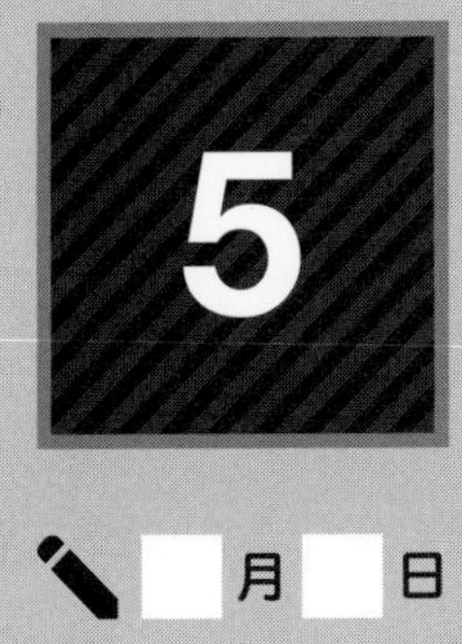

この解答は110ページ

言葉さがし

✎ 月 日

すでに線で囲まれている3つのように、〈リスト〉の習い事をすべて一直線上に見つけてください。※小さい「ッ」や「ャ」なども大きな文字として扱います。

ン	ケ	ク	ヨ	キ	イ	タ	ス
エ	イ	カ	イ	ワ	ツ	ン	コ
サ	カ	ン	ガ	ヨ	ダ	ケ	ン
ガ	ン	イ	ゲ	ウ	ト	ミ	メ
コ	タ	シ	コ	バ	バ	ガ	ラ
ピ	ト	ヤ	ン	ウ	レ	テ	フ
ア	シ	リ	ヨ	ウ	リ	エ	ケ
ノ	ウ	ジ	ウ	ユ	シ	ン	ペ

〈リスト〉

- □エイカイワ（英会話）
- □エテガミ（絵手紙）
- □キツケ（着付け）
- □コト（琴）
- ☑サンシン（三線）
- □シャコウダンス（社交ダンス）
- □ジョウバ（乗馬）
- □タイキョクケン（太極拳）
- ☑タンカ（短歌）
- □トウゲイ（陶芸）
- □バレエ
- □ピアノ
- □フラメンコ
- □ペンシュウジ（ペン習字）
- ☑ヨガ
- □リョウリ（料理）

この解答は110ページ

熟語点つなぎ

☆から★まで順に点をつなぐと、漢字２文字の熟語があらわれます。その読みを答えてください。

月　日

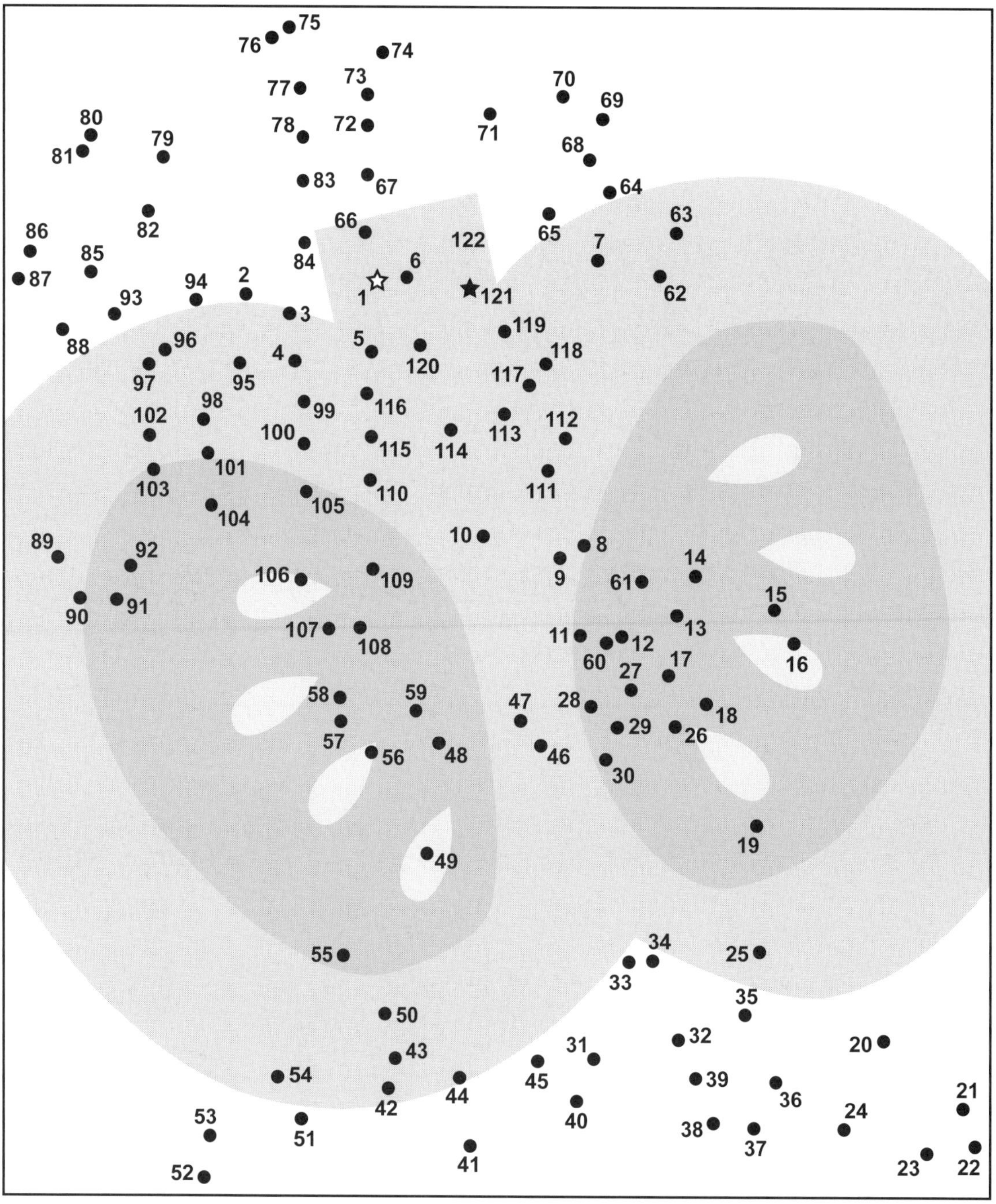

この解答は111ページ

間違い探し

上下の絵には間違いが10個あります。間違いが一番少ないのは【エリア表】のどこでしょう？

【エリア表】

この解答は111ページ

文字アート

文字が集まってできたイラストの中に、リスト以外の文字が3つ含まれています。それは何でしょう？

月　日

リスト　手・品・師・帽・子

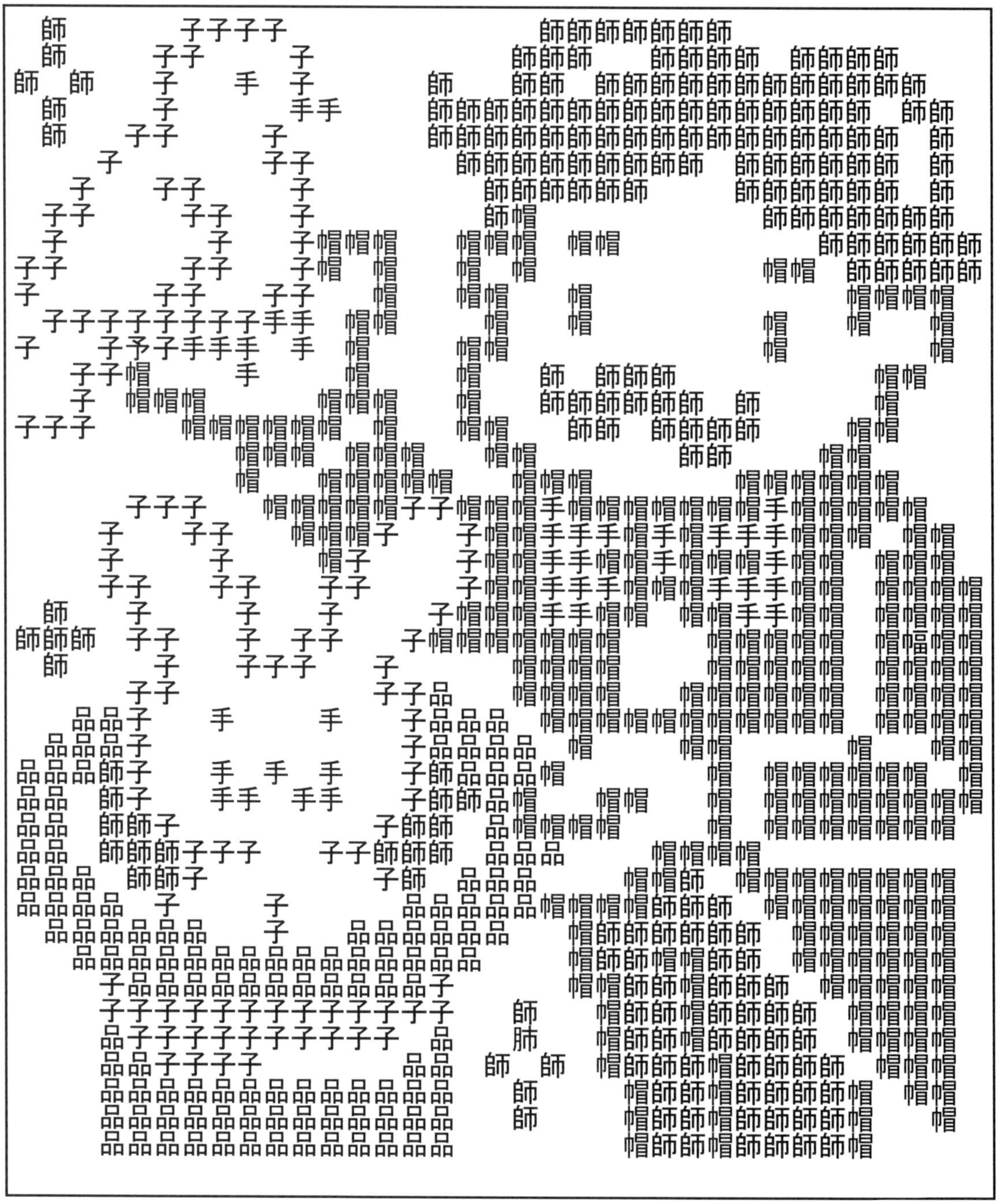

この解答は111ページ

パターン塗り絵

月　日

記号の入ったマスを【見本】のパターンで塗りつぶしたとき、現れるイラストは何でしょう？　見本のパターンをすべて使用しない場合もあります。

F	A	0	0	8	8	0	5	8	0	0	8	0	0	0
6	1	0	E	1	A	9	1	A	7	3	D	0	E	7
0	0	0	7	0	0	3	0	0	7	3	0	3	1	0
0	3	0	4	0	0	0	7	E	2	D	B	B	9	0
0	A	9	A	4	8	8	D	B	D	0	7	3	A	7
3	0	0	5	8	8	D	5	1	7	0	1	A	0	7
2	1	E	F	0	F	7	A	0	9	0	F	1	5	7
A	3	1	F	7	3	F	0	8	A	9	8	8	D	0
0	E	7	3	D	6	4	9	7	7	5	D	7	5	9
A	B	F	8	7	9	D	7	7	D	B	7	9	0	1
0	0	0	5	7	7	7	7	7	4	5	D	B	4	6
0	5	F	D	5	D	2	7	4	C	4	C	B	1	7
0	3	F	9	4	F	B	0	0	4	8	F	5	9	7
9	3	F	7	3	D	5	D	9	0	3	F	E	F	7
E	6	B	0	5	E	4	C	E	D	6	B	B	B	0

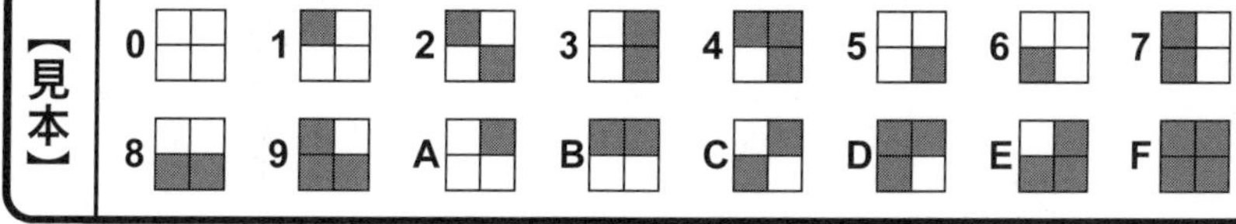

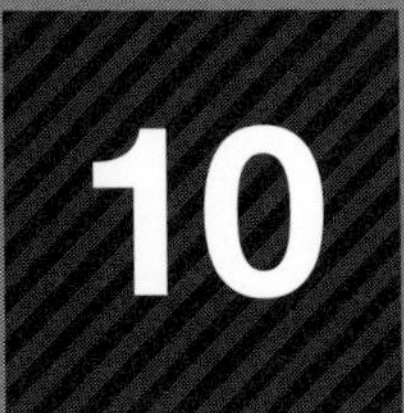

この解答は111ページ

お絵かきパズル

ルールに従ってマスを塗ると何が現れるでしょう？
リストの①～③の中から選んでください。

お絵かきの基本ルール3項目

◆タテ・ヨコの数字は、その列の中で連続して塗るマスの数
◆同じ列に複数の数字があるときは、その並びどおりにマスを塗る
◆数字と数字の間は必ず１マス以上空ける

例題

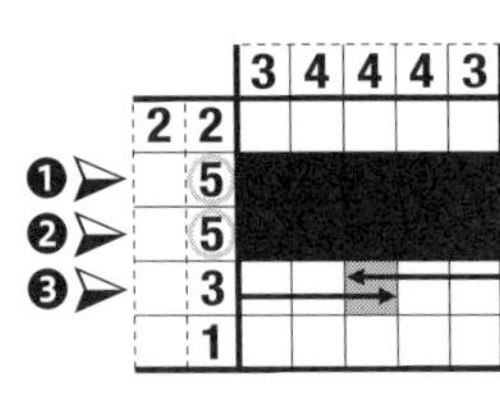

STEP.1　大きな数字に注目

塗りつぶせるマスはどれ？
▶矢印❶❷：横列の数と同じ「5」⇒すべて塗れるマス
▶矢印❸：横列の半分より大きい「3」⇒左右どちらから塗っても重なる部分は塗り確定

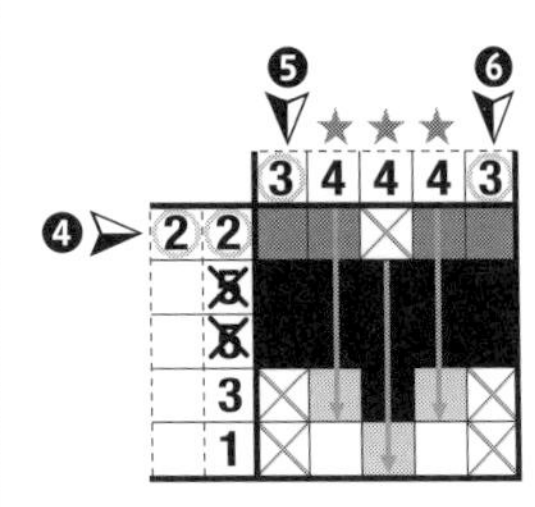

STEP.2　塗らないマスをつぶせ

▶矢印❹：「2」「空白」「2」⇒塗らないマスに×印
▶矢印❺❻⇒確定した「3」以外のマスに×印
▶上端のマスが確定した★印の縦列「4」⇒数字の数だけ下に塗り進める
すべての塗るマスと塗らないマスが確定すると完成！

完成

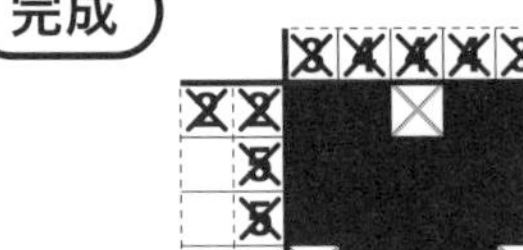

正解は「ハート」

問題1

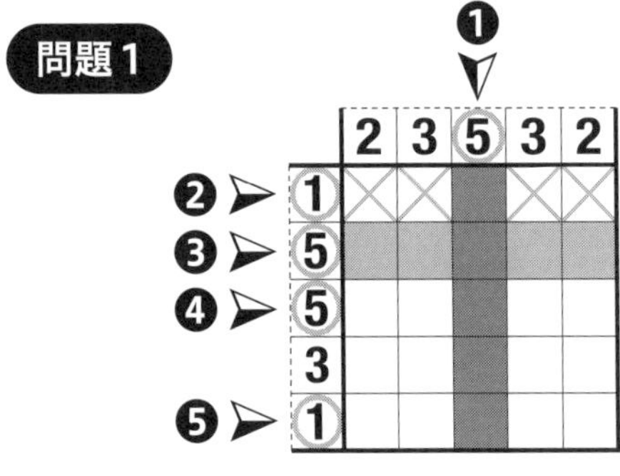

リスト	①リボン　②鍋　③コマ

問題2

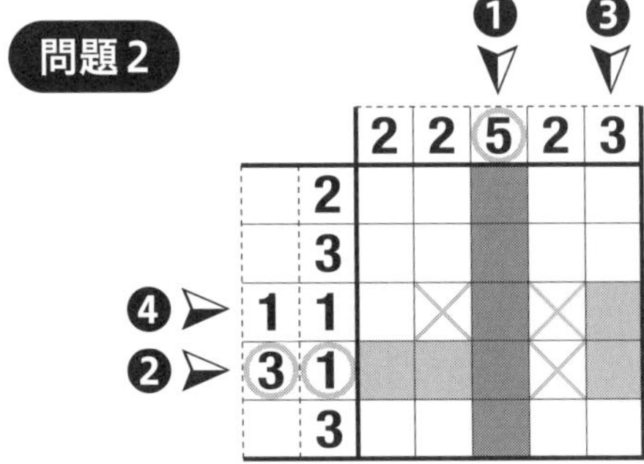

リスト	①音符　②花　③ヨット

解き方ナビ

矢印の順番に○の付いた数字の数だけマスを塗っていくと、初めての方も迷わずに正解に近付けます。

❶➤ ❸ ❹ …
❷➤

矢印後方の数字は注目する列の順番です。

① ② ③ ④ …

○が付いている数字は矢印の順番で解いた時に確定できる部分です。

この解答は111ページ

ナンプレ

□月□日

タテ９列、ヨコ９列と、太線で囲まれた９個のブロックにはそれぞれ１～９の数字が必ず一つずつ入ります。すべての空きマスに数字を入れてください。

〈例〉

2	1	5	3	7	8	9	6	4
7	4	6	2	1	9	5	3	8
3	9	8	6	4	5	2	1	7
5	8	1	7	3	2	4	9	6
9	3	4	5	6	1	8	7	2
6	7	2	8	9	4	3	5	1
1	2	3	4	5	6	7	8	9
4	5	9	1	8	7	6	2	3
8	6	7	9	2	3	1	4	5

	7	6				1	9	
1	2		6		3		8	4
		5		9	1	2		
	4			8			1	
7	9	1	2	3	5	6	4	8
6			4	1	7			5
9	6			2			5	1
3		8	7		9	4		2
	5		1		8		3	

この解答は111ページ

不等号ナンプレ

タテ列とヨコ列にはマスの個数分の数字が一つずつ入ります。各マスの間の不等号は隣り合ったマスに入る数字の大小をあらわします。すべての空きマスに数字を入れてください。

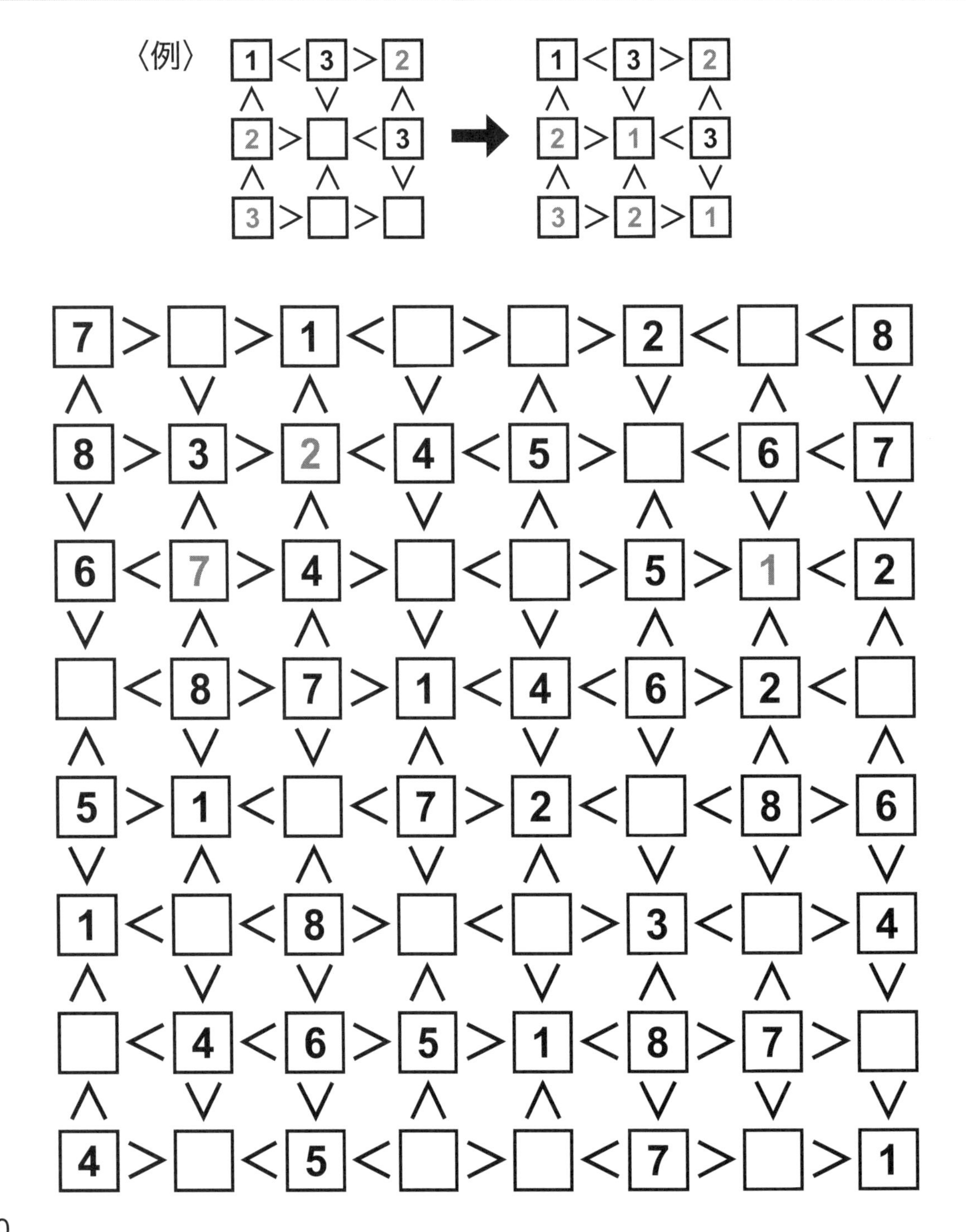

✎ 月 日

〈例〉

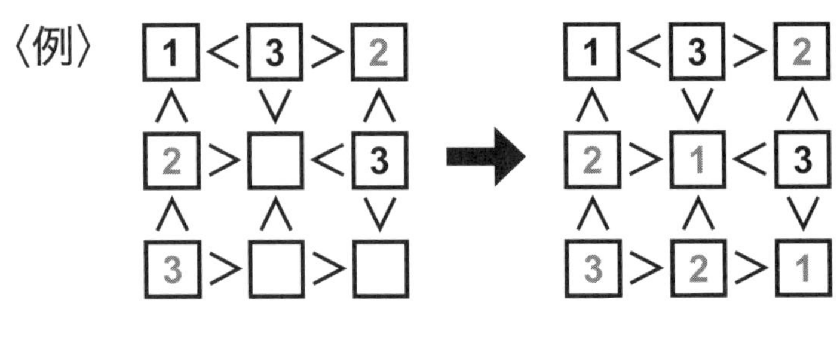

7	>	□	>	1	<	□	>	□	>	2	<	□	<	8
∧		∨		∧		∨		∧		∨		∧		∨
8	>	3	>	2	<	4	<	5	>	□	<	6	<	7
∨		∧		∧		∨		∧		∧		∨		∨
6	<	7	>	4	>	□	<	□	>	5	>	1	<	2
∨		∧		∧		∨		∨		∧		∧		∧
□	<	8	>	7	>	1	<	4	<	6	>	2	<	□
∧		∨		∨		∧		∨		∨		∧		∧
5	>	1	<	□	<	7	>	2	<	□	<	8	>	6
∨		∧		∧		∨		∧		∨		∨		∨
1	<	□	<	8	>	□	<	□	>	3	<	□	>	4
∧		∨		∨		∧		∨		∧		∧		∨
□	<	4	<	6	>	5	>	1	<	8	>	7	>	□
∧		∨		∨		∧		∧		∨		∨		∨
4	>	□	<	5	<	□	>	□	<	7	>	□	>	1

この解答は112ページ

合体ナンプレ

二つのナンプレが重なった「合体ナンプレ」です。基本ルールはナンプレと同じですが、重なった部分にはどちらのナンプレも成立する数字が入ります。すべての空きマスに数字を入れてください。

3	5			8				1						
1		8	2	7	9		3							
	4	9		3		6								
	9		7	6	8		4							
6	8	3		1		5	7	9						
	2		5	9	3		6							
		5		2		7				5				3
	7		3	4	1				1	2	3		8	
4				5				3		4		5		
							3		4		5		9	
						6	8	9		3	1	4	5	7
							4		7		9		3	
								2		1		8	6	
							6		3	9	8	2		1
						1				7			4	5

この解答は112ページ

四角に区切ろう

数字とマスの数が同じになるように、盤面を四角（正方形または長方形）に切り分けてください。どの四角にも数字は必ず一つずつ含まれます。

月　日

〈例〉

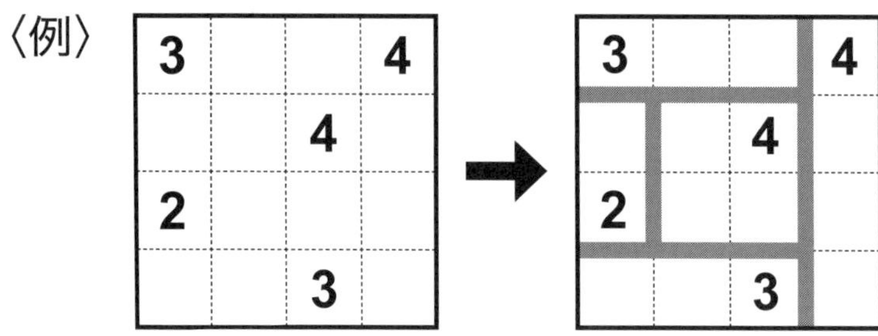

			7								
	9			3					9		
			3								
		4				5				8	
											12
7		6			8			4			
	3		4					10			
										8	
				10							

この解答は112ページ

同じ数つなぎ

同じ数字を線でつないでください。線は、他の線や数字の上を通過することはできません。

〈例〉

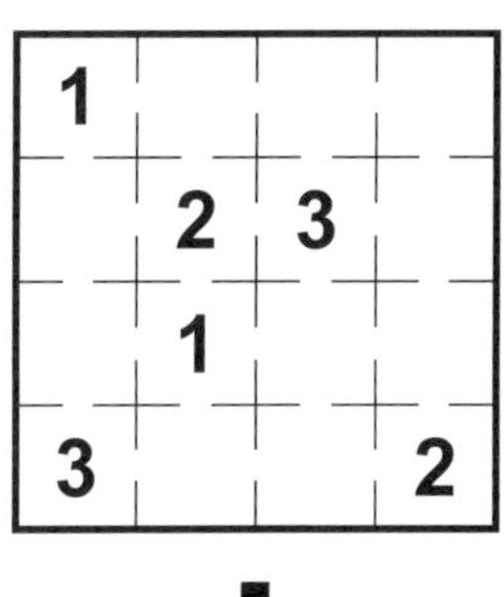

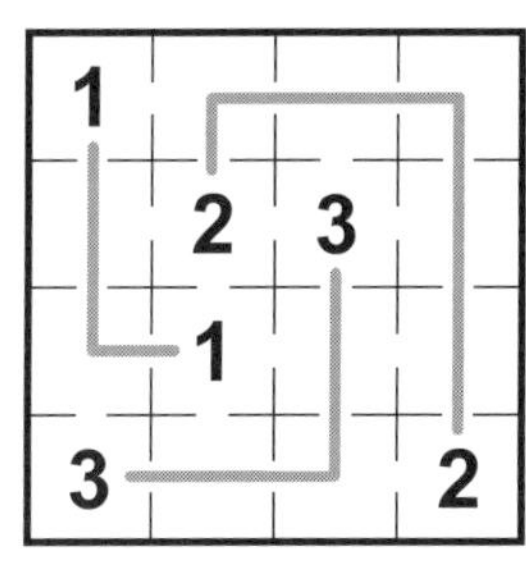

問題1

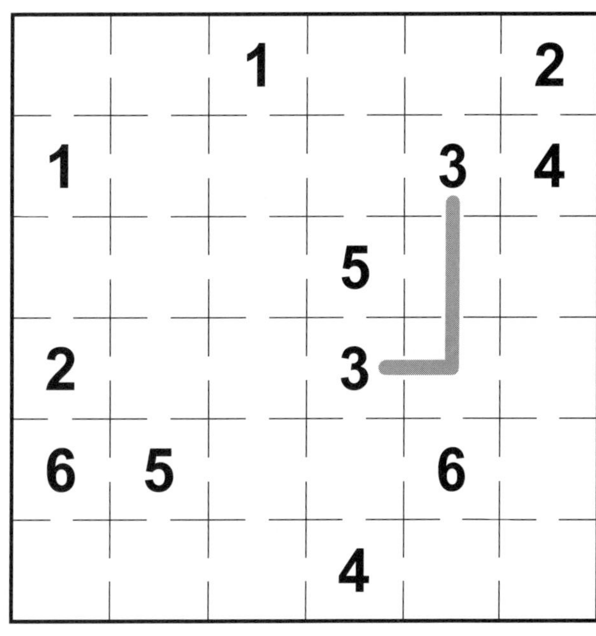

問題2

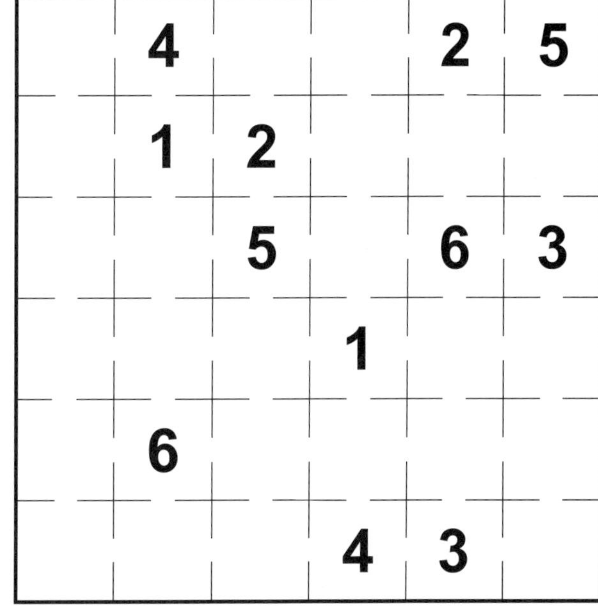

16

この解答は112ページ

クロスワード

タテのカギ、ヨコのカギをヒントに、クロスワードを解いてください。A～Eの文字を並べてできる言葉は何でしょう？

月　日

1	2		3	■	4		5
6		■	7		D	■	
■	8	9 C		■	10	11	
12			■	13			■
	■	14	15		■	16	17
18	19	■	20	A	21	■	
22	E	23		■	24	25	
26			■	27		B	

解答

A	B	C	D	E

タテのカギ

1 ステーキの生に近い焼き加減
2 話が○○○○とんぼになった
3 機械や車などのパーツ
4 青島や高千穂峡などがある県
5 はるか遠い昔
9 試合の流れに○○○一憂する
11 海にすむ、賢いホ乳類
12 ヒナギクは「平和」「希望」など
13 純粋でまっすぐな性格
15 「図画工作」の略
17 三角形はトライアングル、四角形は？
19 名犬ラッシーで知られる犬種
21 ホワイト○○○で果実酒作り
23 豊臣秀頼の母は○○君
25 ネギしょってくる鳥？

ヨコのカギ

1 バレーボールで、相手のサーブを受けること
4 自分に加勢してくれる人
6 童話で、キリギリスを助けた昆虫
7 一階建ての家
8 囲碁のプロたちで構成する団体
10 商品のストック
12 ふくらみ過ぎた風船がパーン！
13 経験や訓練で身につけた技能
14 大事にしたい、人と人との結びつき
16 酒○○を使って甘酒を作る
18 一つ一つ。おのおの
20 アイスピックで砕くもの
22 ペンキやニスなど
24 幹がふた○○○もある大木
26 愛鳥週間＝○○○ウイーク
27 気のきいた上品なしゃれ

この解答は112ページ

漢字詰めクロス

マス目に〈リスト〉の漢字を入れてクロスワードを完成させ、〈リスト〉に残った2文字でできる言葉を答えてください。

月　日

			千	■		大	
岸	■	吹	■	欄		■	来
■	三			■	名		■
祝		■		段	■		旬
■		夜	■				■
純	■		政	■	鳥	■	
	字		■	無		地	
学	■		掌	■	月	■	主

解答

〈リスト〉

- □若　□千　□干　□月　□色
- □行　□手　□下　□昇　□生
- □海　□帯　□花　□世　□列
- □風　□将　□文　□車　□日
- □旗　□上　□山　□門　□落

この解答は112ページ

スケルトン

マス目の数と同じ文字数の言葉を〈リスト〉から選び、当てはめてください。最後に、〈リスト〉に残る言葉を答えてください。※小さい「ッ」や「ャ」なども大きな文字として扱います。

月　日

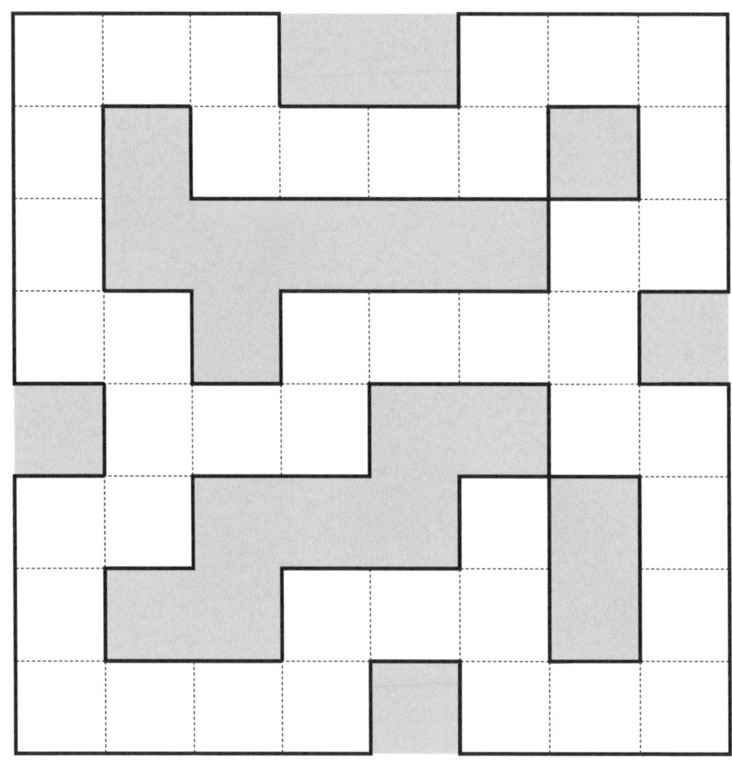

解答

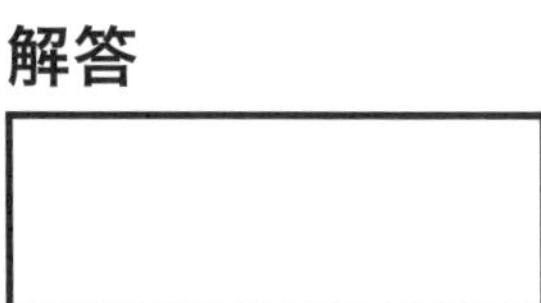

〈リスト〉

2文字
□エラ
□カオ（顔）
□カブ（株）
□ギア
□シオ（塩）
□ヒメ（姫）
□ヒモ（紐）
□リク（陸）

3文字
□アサヒ（朝日）
□カイガ（絵画）
□カカオ
□ギンカ（銀貨）
□シクミ（仕組み）
□ジタク（自宅）
□タワシ（束子）
□ドリア
□ヒガタ（干潟）
□ヒキド（引き戸）
□ラジオ

4文字
□アトリエ
□オトトシ（一昨年）
□ミミタブ（耳たぶ）
□モチゴメ（もち米）
□リョカン（旅館）

この解答は113ページ

漢字読みアロー（空）

✎　月　日

マスに入っている漢字もしくは熟語の読みを、矢印が示すところに入れてください。タテに入る言葉は上から下、ヨコに入る言葉は左から右に入ります。最後にA～Dの文字を並べてできる言葉を答えてください。

					羽布団 芯				
	武家 稀有		D	勲位				漆黒 蟷螂	
		癖 凍土				度肝 衝立	A		靴 鷹
把握 摂理			月		雲				
							手鞠 棋士		
	味醂		飛行機		鳥				利子 丹念
B		禁忌 粋						登山 沈殿	
未開 関与					猪口 八千代				
			暦 魅惑			C	杵		
	貴賓 加護				規約 腰			出来	

解答

A	B	C	D

この解答は113ページ

言葉さがし

〈リスト〉のペットをすべて一直線上に見つけてください。※小さい「ッ」や「ャ」なども大きな文字として扱います。

✎ 月 日

キ	ン	ギ	ヨ	メ	コ	メ	ガ
ト	ツ	サ	カ	ト	ン	ン	イ
ツ	ト	ウ	ズ	ブ	モ	コ	イ
モ	ツ	ネ	ミ	モ	ト	ブ	ヌ
ル	レ	コ	ロ	ズ	ア	ム	シ
モ	エ	ク	ウ	リ	ネ	ハ	シ
ル	フ	ロ	ナ	ニ	ガ	リ	ザ
メ	ダ	カ	ー	タ	ス	ム	ハ

〈リスト〉

□イヌ（犬）
□インコ
□ウサギ
□カナリア
□カブトムシ
□カメ
□キンギョ（金魚）
□ザリガニ
□ネコ（猫）
□ハムスター
□ハリネズミ
□フェレット
□フクロモモンガ
□メダカ
□モルモット

この解答は113ページ

点つなぎ迷路

☆から★まで順に点をつなぐと、迷路があらわれます。スタートからゴールまで迷わずに進んだとき、通った帽子は何個あったでしょう？

月　日

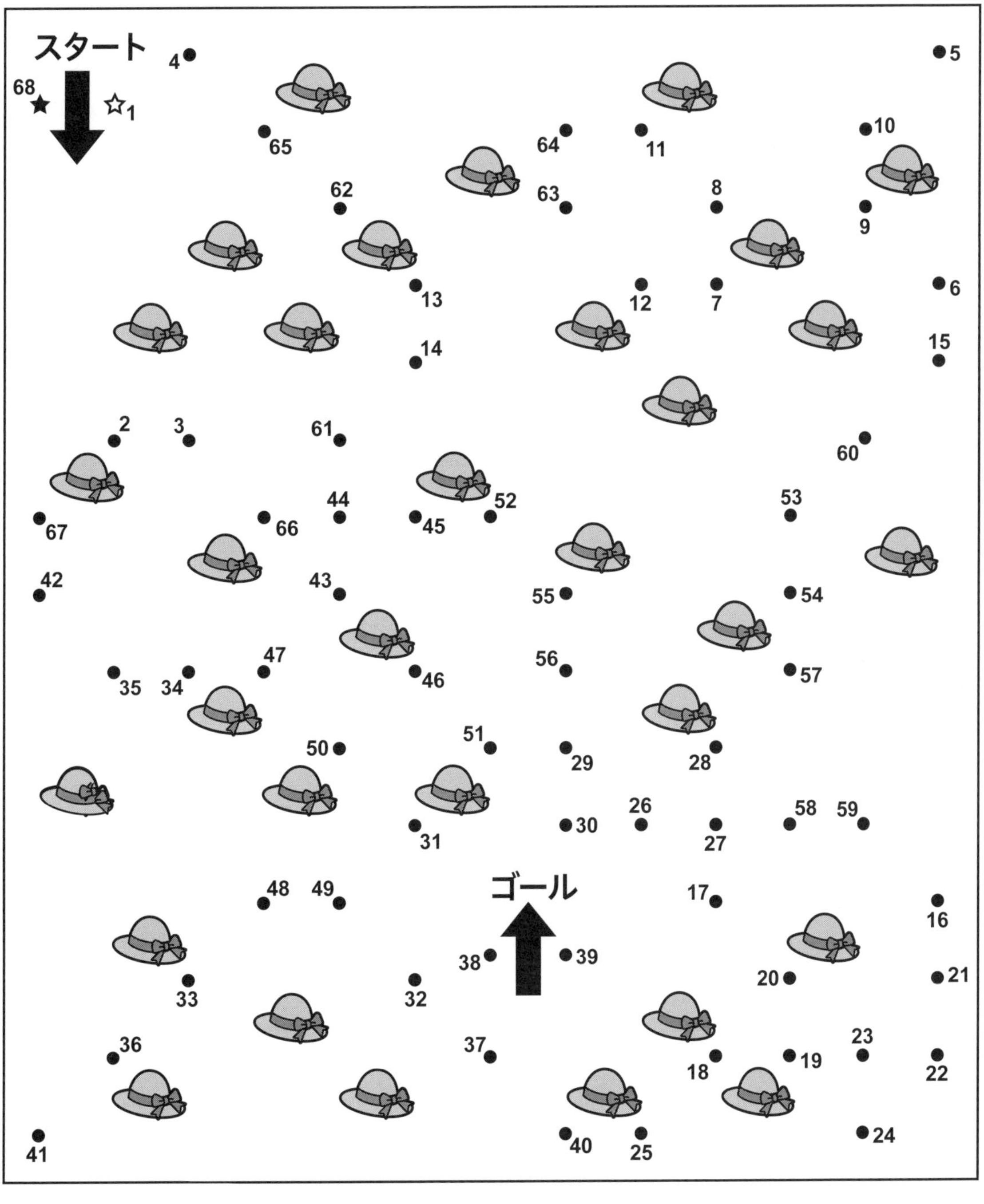

スタート

ゴール

この解答は113ページ

間違い探し

上下の絵には間違いが10個あります。間違いが一番多いのは【エリア表】のどこでしょう？

【エリア表】

この解答は113ページ

文字アート

文字が集まってできたイラストの中に、リスト以外の文字が３つ含まれています。それは何でしょう？

月　日

リスト 体・操・平・均・台・踊

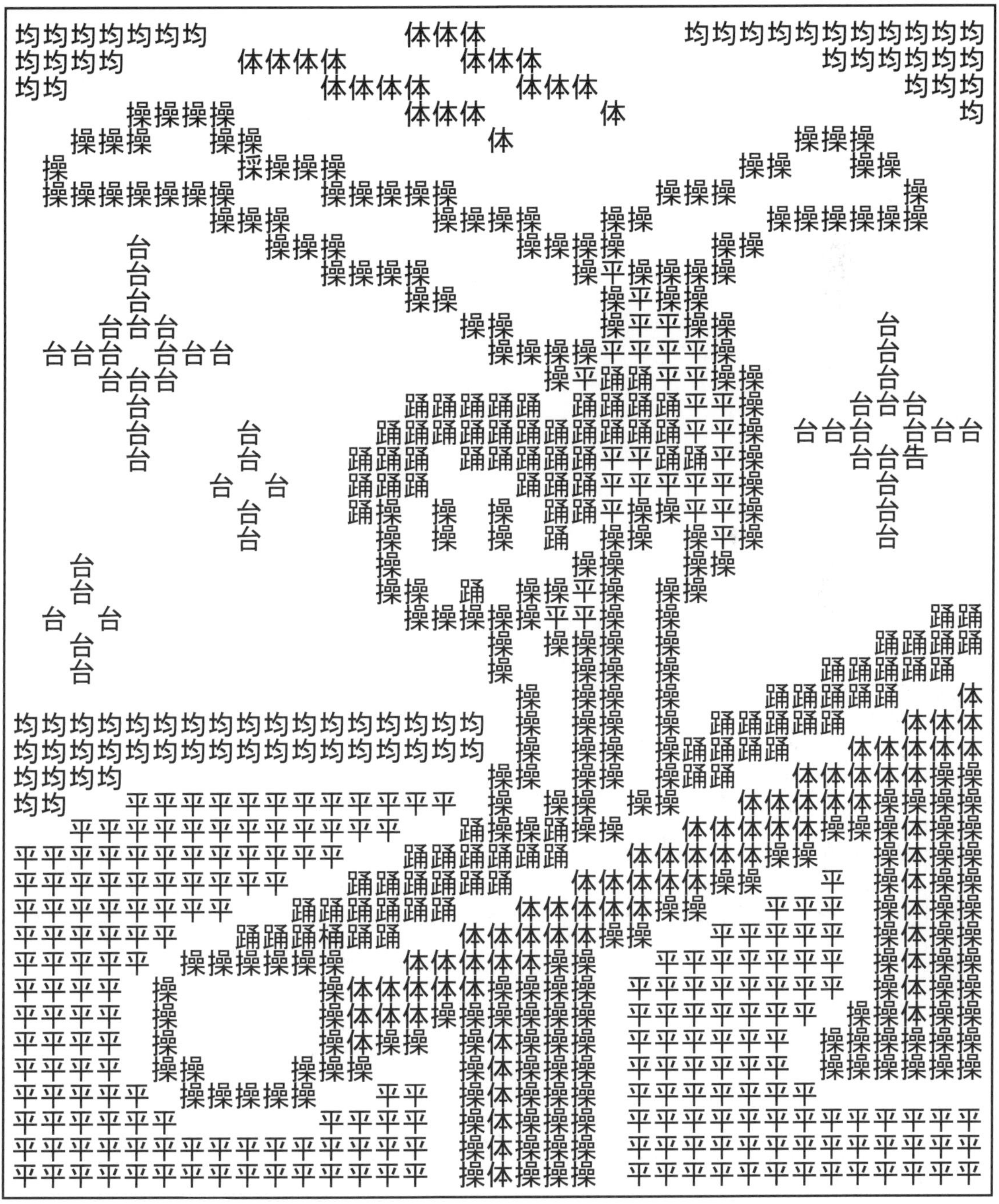

均均均均均均均 体体体 均均均均均均均均均均均

均均均均 体体体体 体体体 均均均均均均

均均 体体体体 体体体 均均均

操操操操 体体体 体 均

操操操 操操 体 操操操

操 採操操操 操操 操操

操操操操操操操 操操操操操 操操操 操

操操操 操操操操 操操 操操操操操操

台 操操操 操操操操 操操

台 操操操操 操平操操操操

台 操操 操平操操

台台台 操操 操平平操操 台

台台台 台台台 操操操操平平平平操 台

台台台 操平踊踊平平操操 台

台 踊踊踊踊踊 踊踊踊踊平平操 台台台

台 台 踊踊踊踊踊踊踊踊踊踊踊踊平平操 台台台 台台台

台 台 踊踊踊 踊踊踊踊踊平平踊踊平操 台台告

台 台 踊踊踊 踊踊踊平平平平平操 台

台 踊操 操 操 踊踊平操操平平操 台

台 操 操 操 踊 操操 操平操 台

台 操 操操 操操

台 操操 踊 操操平操 操操

台 台 操操操操操平平操 操 踊踊

台 操 操操操操 操 踊踊踊踊

台 操 操操操 操 踊踊踊踊踊

操 操操操 操 踊踊踊踊踊 体

均均均均均均均均均均均均均均均均均 操 操操操 操 踊踊踊踊踊 体体体

均均均均均均均均均均均均均均均均均 操 操操操 操踊踊踊踊 体体体体体

均均均均 操操 操操操 操踊踊 体体体体体操操

均均 平平平平平平平平平平平平 操 操操操 操操 体体体体体操操操操

平平平平平平平平平平平平 踊操操踊操操 体体体体体操操操体操操

平平平平平平平平平平平平 踊踊踊踊踊踊 体体体体体操操 操体操操

平平平平平平平平平平 踊踊踊踊踊踊 体体体体体操操 平 操体操操

平平平平平平平平 踊踊踊踊踊踊 体体体体体操操 平平平 操体操操

平平平平平平 踊踊踊桶踊踊 体体体体体操操 平平平平平 操体操操

平平平平平 操操操操操操 体体体体体操操 平平平平平平平 操体操操

平平平平 操 操体体体体体操操操操 平平平平平平平平 操体操操

平平平平 操 操体体体操操操操操 平平平平平平平 操操体操操

平平平平 操 操体操操 操体操操操 平平平平平平 操操操操操操

平平平平 操操 操操操 操体操操操 平平平平平平 操操操操操操

平平平平平 操操操操操 平平 操体操操操 平平平平平平平

平平平平平平 平平平平 操体操操操 平平平平平平平平平平平平平

平平平平平平平平平平平平平平平 操体操操操 平平平平平平平平平平平平平

平平平平平平平平平平平平平平平 操体操操操 平平平平平平平平平平平平平

パターン塗り絵

この解答は113ページ

記号の入ったマスを【見本】のパターンで塗りつぶしたとき、現れるイラストは何でしょう？　見本のパターンをすべて使用しない場合もあります。

月　日

F	F	B	B	4	F	F	F	F	F	F	F	4	4	F
F	9	0	5	6	A	4	F	7	1	F	F	6	E	F
F	F	9	6	A	2	0	4	F	E	F	F	F	F	F
0	0	0	4	6	0	2	0	4	6	5	8	8	6	0
3	9	F	0	4	6	0	7	0	4	D	0	0	4	0
A	F	D	0	0	4	0	3	0	D	E	9	0	A	7
0	A	5	D	B	B	9	6	3	2	F	F	6	0	7
0	0	E	0	C	4	6	4	F	3	4	A	9	0	7
0	0	7	0	7	9	C	0	F	A	A	7	4	6	9
9	7	7	0	2	F	4	0	3	0	0	9	A	9	3
A	0	7	0	E	3	C	7	A	7	0	3	0	A	B
0	0	7	0	7	3	9	F	0	2	0	3	0	0	0
8	3	1	E	2	6	F	D	9	A	0	D	5	8	8
F	C	B	2	F	7	F	2	C	4	3	2	F	F	F
F	F	F	F	F	C	2	F	7	9	D	E	F	F	F

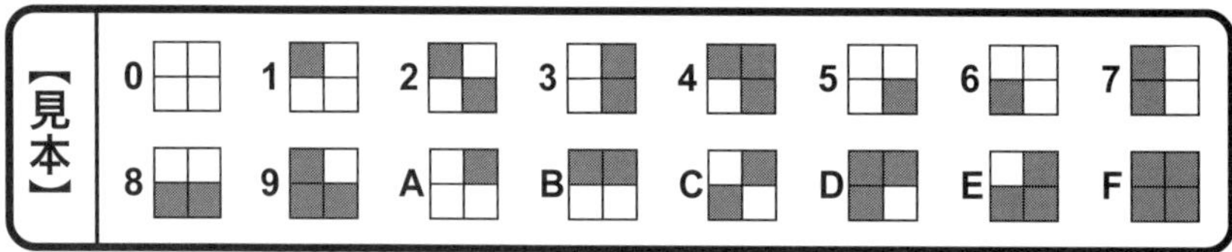

お絵かきパズル

この解答は114ページ

ルールに従ってマスを塗ると何が現れるでしょう？
リストの①〜③の中から選んでください。

月　日

お絵かきの基本ルール3項目

◆タテ・ヨコの数字は、その列の中で連続して塗るマスの数
◆同じ列に複数の数字があるときは、その並びどおりにマスを塗る
◆数字と数字の間は必ず1マス以上空ける

解き方ナビ

矢印の順番に○の付いた数字の数だけマスを塗っていくと、初めての方も迷わずに正解に近付けます。

❶➤ ❷➤ ❸ ❹ …

矢印後方の数字は注目する列の順番です。

① ② ③ ④ …

○が付いている数字は矢印の順番で解いた時に確定できる部分です。

問題1

タテの数字（左から）：①⑧ / ①② / 1 3 1 1 / ⑧ / 1 5 / 1 / 1 5 / ⑧ / 5 1 1 / 4 2

ヨコの数字（上から）：❷①③④ / 1 1 3 / ①2 3 / ❸⑤④ / ①3 3 / ①2 2 / ①3 3 / ①2 2 / ②1 / ③2

リスト
①イカリ
②カモメ
③クジラ

問題2

タテの数字（左から）：② / ②4 / 1 1 3 / ①3 2 / ①7 / ②②①① / ①5 / ①6 / ①1 3 / ③

ヨコの数字（上から）：❶②②④ / ❺②①① / 1 1 2 / 1 1 1 / ❻⑤2 / ❼①⑥ / ❽④③ / 1 4 / 3 2 / 4

リスト
①ぶどう
②モモ
③イチゴ

この解答は114ページ

ナンプレ

月　日

タテ９列、ヨコ９列と、太線で囲まれた９個のブロックにはそれぞれ１～９の数字が必ず一つずつ入ります。すべての空きマスに数字を入れてください。

問題１

5	2		7		6		9	8
		6		1		5		
8	4			2			6	3
	5			8			7	
1		9	5		3	6		2
	6	3				8	1	
		8	3		2	7		
	7		1		9		8	
6				5				4

問題２

		7			8		5	6
5		3	2		6			
	8		7	5		9	2	
9	2			4	7	1		
	3						9	
		6	9	2			3	8
	1	9		7	2		4	
			8		9	5		2
3	5		1			7		

この解答は114ページ

不等号ナンプレ

タテ列とヨコ列にはマスの個数分の数字が一つずつ入ります。各マスの間の不等号は隣り合ったマスに入る数字の大小をあらわします。すべての空きマスに数字を入れてください。

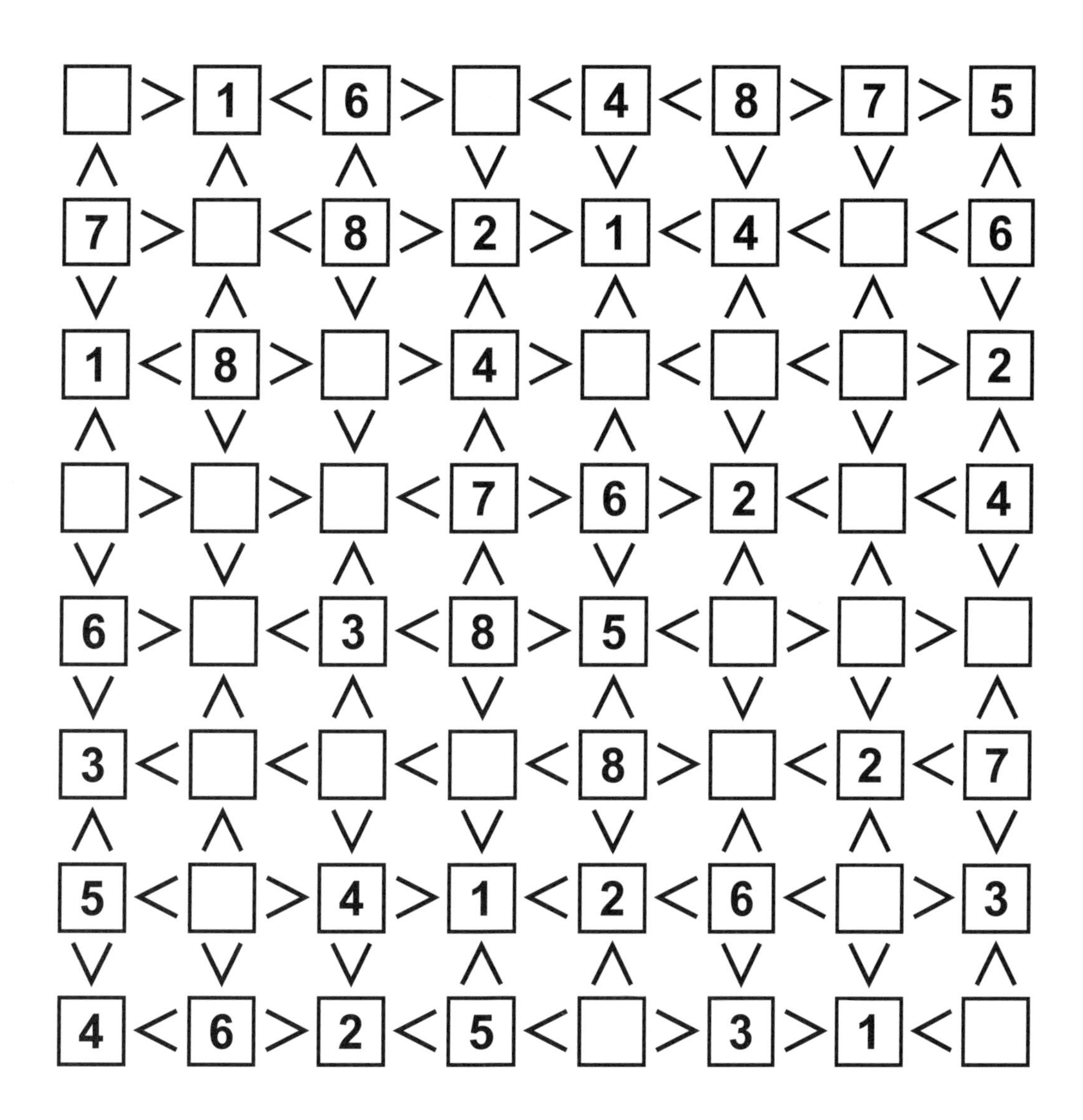

```
□ > 1 < 6 > □ < 4 < 8 > 7 > 5
∧   ∧   ∧   ∨   ∨   ∨   ∨   ∧
7 > □ < 8 > 2 > 1 < 4 < □ < 6
∨   ∧   ∨   ∧   ∧   ∧   ∧   ∨
1 < 8 > □ > 4 > □ < □ < □ > 2
∧   ∨   ∨   ∧   ∧   ∨   ∨   ∧
□ > □ > □ < 7 > 6 > 2 < □ < 4
∨   ∨   ∧   ∧   ∨   ∧   ∧   ∨
6 > □ < 3 < 8 > 5 < □ > □ > □
∨   ∧   ∧   ∨   ∧   ∨   ∨   ∧
3 < □ < □ < □ < 8 > □ < 2 < 7
∧   ∧   ∨   ∨   ∨   ∧   ∧   ∨
5 < □ > 4 > 1 < 2 < 6 < □ > 3
∨   ∨   ∨   ∧   ∧   ∨   ∨   ∧
4 < 6 > 2 < 5 < □ > 3 > 1 < □
```

この解答は114ページ

合体ナンプレ

月　日

二つのナンプレが重なった「合体ナンプレ」です。基本ルールはナンプレと同じですが、重なった部分にはどちらのナンプレも成立する数字が入ります。すべての空きマスに数字を入れてください。

		8			6	1		
	2		5				4	6
7			1	4			9	
	4	6	2			7		
		9		8	3			1
1				5				9
2			8					
	9	7						
	8			2	7			

			5	1			6	
						1	4	
					7			9
8				3				5
4			2	7		6		
		2			1	4	9	
	2			6	5			4
1	9				2		3	
		6	9			7		

この解答は114ページ

四角に区切ろう

✎ 月 日

数字とマスの数が同じになるように、盤面を四角（正方形または長方形）に切り分けてください。どの四角にも数字は必ず一つずつ含まれます。

	4				5		15				
5				9							
						4					
							9				7
7				8							
			9				12			18	
				4				6			
			8			4					10

この解答は114ページ

同じ数つなぎ

同じ数字を線でつないでください。線は、他の線や数字の上を通過することはできません。

問題1

6	2						13				4
	12		7		13	9					
		7	8		2			5		1	3
							4				
	6		12	10	8		9			3	
11			11				10			5	1

問題2

	1	12	10					10	4		5
	12			11	4						6
				7		3				5	
11		1						8	9	6	
7							2			8	2
					3	9					

クロスワード

この解答は115ページ

タテのカギ、ヨコのカギをヒントに、クロスワードを解いてください。A～Eの文字を並べてできる言葉は何でしょう？

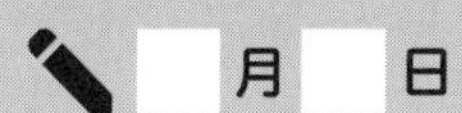

1	2	3	■	4	5	6	7
8			9	■	10	B	
11		■	12 C	13		■	
■	14	15			■	16	
17	D		■	18	19		■
	■	20	21	■	22		23 E
24	25	■	26	27		■	
28				A	■	29	

解答

A	B	C	D	E

タテのカギ

1 住居を建てるための土地
2 ことわざ「紺屋の○○○○○」
3 はまって笑いが止まらない～
5 大人が規則を破っていては、子供に○○○がつかない
6 こりやすい体の部分
7 カリッとしたスープの浮き実
9 ポタリ、ポタリ…と落ちる
13 地蔵、月光、文殊
15 快刀○○○を断つ
16 「市中銀行」の略
17 スパイと同じこと
19 ○○○三軒両隣
21 船や飛行機で海外へ行くこと
23 停泊する船が海底におろす
25 人生にもある分かれ道
27 カップ麺はめくって開ける

ヨコのカギ

1 ジメジメ度が高いこと
4 正方形であること
8 相撲で負けを表すしるし
10 レア○○○＝希少金属
11 落花生の産地として有名な県
12 指されてギクッ！
14 昔ながらの風呂敷の模様
16 鉛筆で、BやHBといえばこの部分
17 「20歳○○○」は19歳以下に同じ
18 大島・結城などが有名な絹織物
20 射撃や弓道で狙うもの
22 親しい間柄であること
24 昨日の○○は今日の友
26 現代的でなく、昔っぽいこと
28 平仮名47字を読みこんだ七五調の歌
29 春の霞、秋の呼び名は？

この解答は115ページ

漢字詰めクロス

月　日

マス目に〈リスト〉の漢字を入れてクロスワードを完成させ、〈リスト〉に残った2文字でできる言葉を答えてください。

	庁		在		■	脚	
境	■	得	■	元		■	眼
■	免			■	望		
		■	番		■	近	■
待	■	斜	■	金			
			目	■	湯	■	悟
■	骨	■		空	■	連	■
有		天	■		式		吸

解答

〈リスト〉

□遠　□地　□頂　□所　□面
□特　□税　□腹　□覚　□色
□歩　□星　□店　□調　□頭
□感　□県　□生　□呼　□真
□本　□銭　□鏡　□許

この解答は115ページ

スケルトン

マス目の数と同じ文字数の言葉を〈リスト〉から選び、当てはめてください。最後に、〈リスト〉に残る言葉を答えてください。※小さい「ッ」や「ャ」なども大きな文字として扱います。

月　日

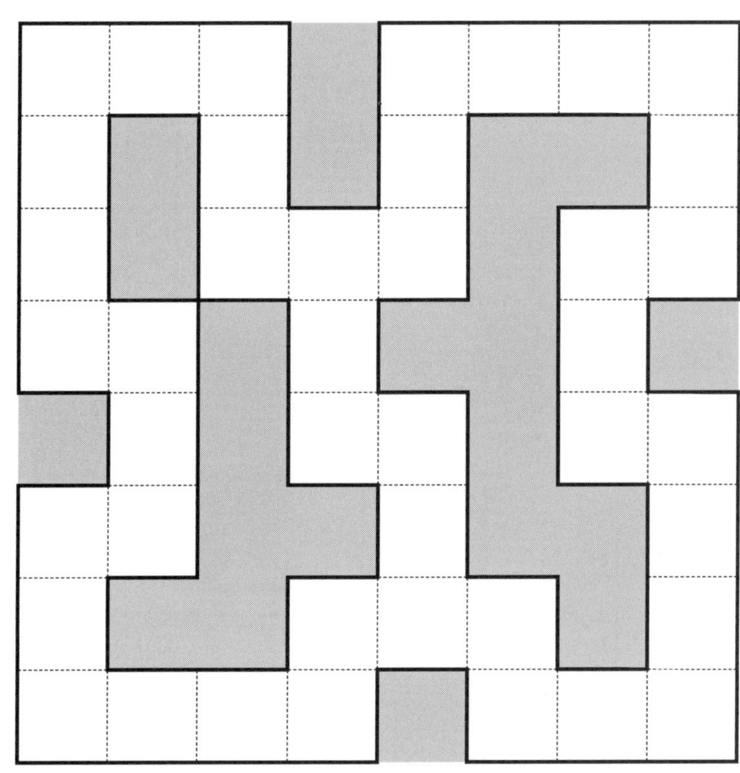

解答

〈リスト〉

2文字
□キボ（規模）
□シシ（獅子）
□タネ（種）
□チズ（地図）
□ツリ（釣り）
□ツル（鶴）
□デキ（出来）

3文字
□ゴール
□シャコ（車庫）
□スミビ（炭火）
□ダンス
□ツウチ（通知）
□ツバキ（椿）
□データ
□デンキ（電気）
□ネオン
□ビデオ
□ボコウ（母校）
□ホノオ（炎）
□リキシ（力士）

4文字
□コウセキ（功績）
□ズジョウ（頭上）
□ダイブツ（大仏）
□ホウカゴ（放課後）

この解答は115ページ

漢字読みアロー（祭り）

マスに入っている漢字もしくは熟語の読みを、矢印が示すところに入れてください。タテに入る言葉は上から下、ヨコに入る言葉は左から右に入ります。最後にA～Eの文字を並べてできる言葉を答えてください。

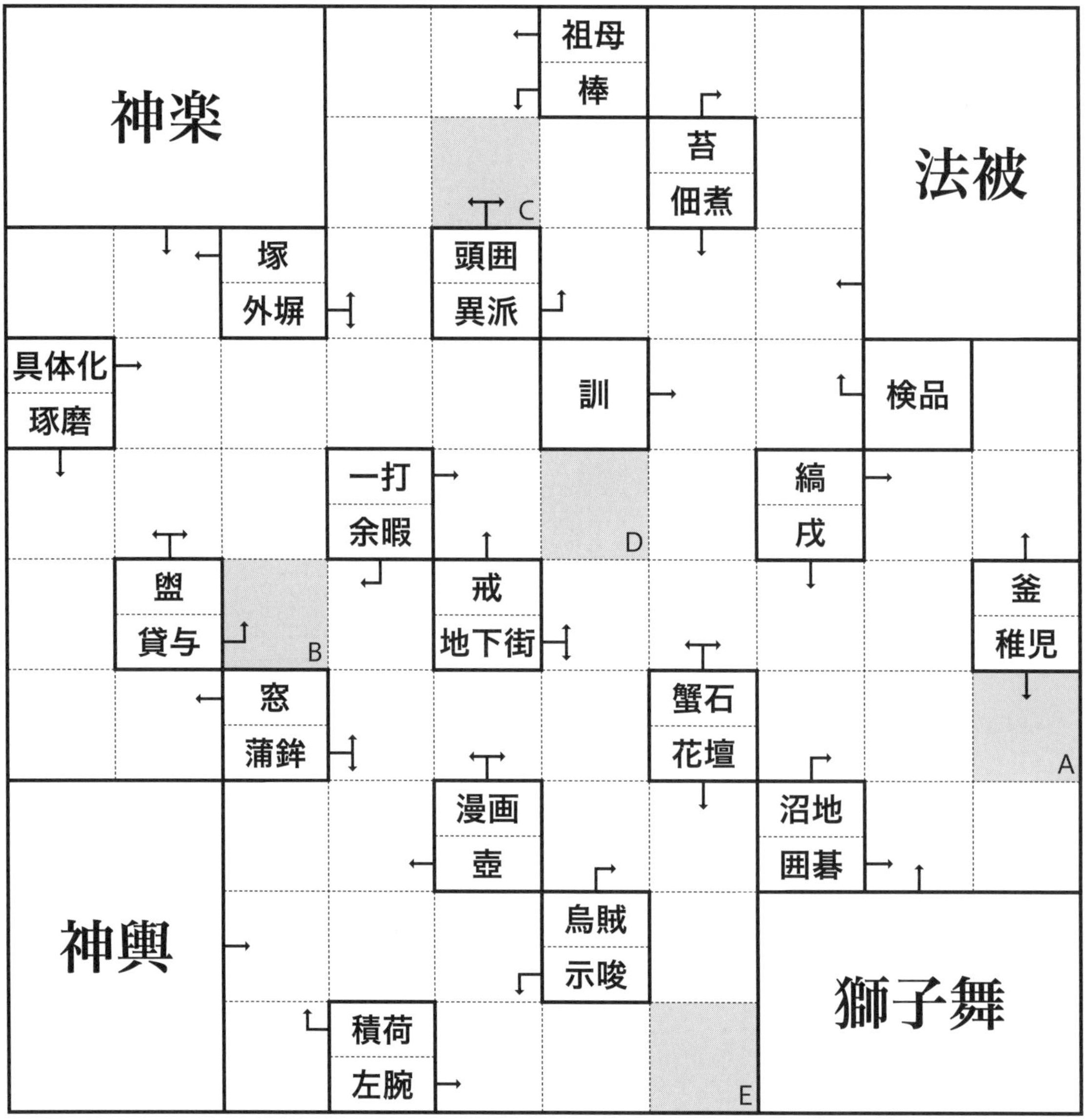

月　日

神楽　祖母　棒　苔　佃煮　法被　塚　外塀　頭囲　異派　C　具体化　琢磨　訓　検品　一打　余暇　縞　戍　D　盥　貸与　B　戒　地下街　釜　稚児　窓　蒲鉾　蟹石　花壇　A　漫画　壺　沼地　囲碁　神輿　烏賊　示唆　積荷　左腕　E　獅子舞

解答	A	B	C	D	E

この解答は115ページ

言葉さがし

〈リスト〉の果物をすべて一直線上に見つけてください。※小さい「ッ」や「ャ」なども大きな文字として扱います。

キ	ド	シ	バ	カ	イ	ス	カ
ウ	ウ	パ	ナ	ナ	ゴ	チ	ー
ド	パ	イ	ナ	ツ	プ	ル	ゴ
ブ	ル	ー	フ	カ	キ	マ	ン
ー	リ	ベ	ー	ル	ブ	モ	マ
メ	ロ	ン	リ	ベ	ー	ー	モ
ワ	ボ	ン	ラ	ク	サ	ツ	ン
ビ	ゴ	ン	シ	ジ	ン	レ	オ

〈リスト〉

□イチゴ
□オレンジ
□カキ（柿）
□キウイフルーツ
□サクランボ
□スイカ
□ナシ（梨）
□パイナップル
□バナナ
□ビワ（枇杷）
□ブドウ
□ブルーベリー
□マンゴー
□メロン
□モモ（桃）
□リンゴ

この解答は115ページ

熟語点つなぎ

☆から★まで順に点をつなぐと、漢字２文字の熟語があらわれます。その読みを答えてください。

月　日

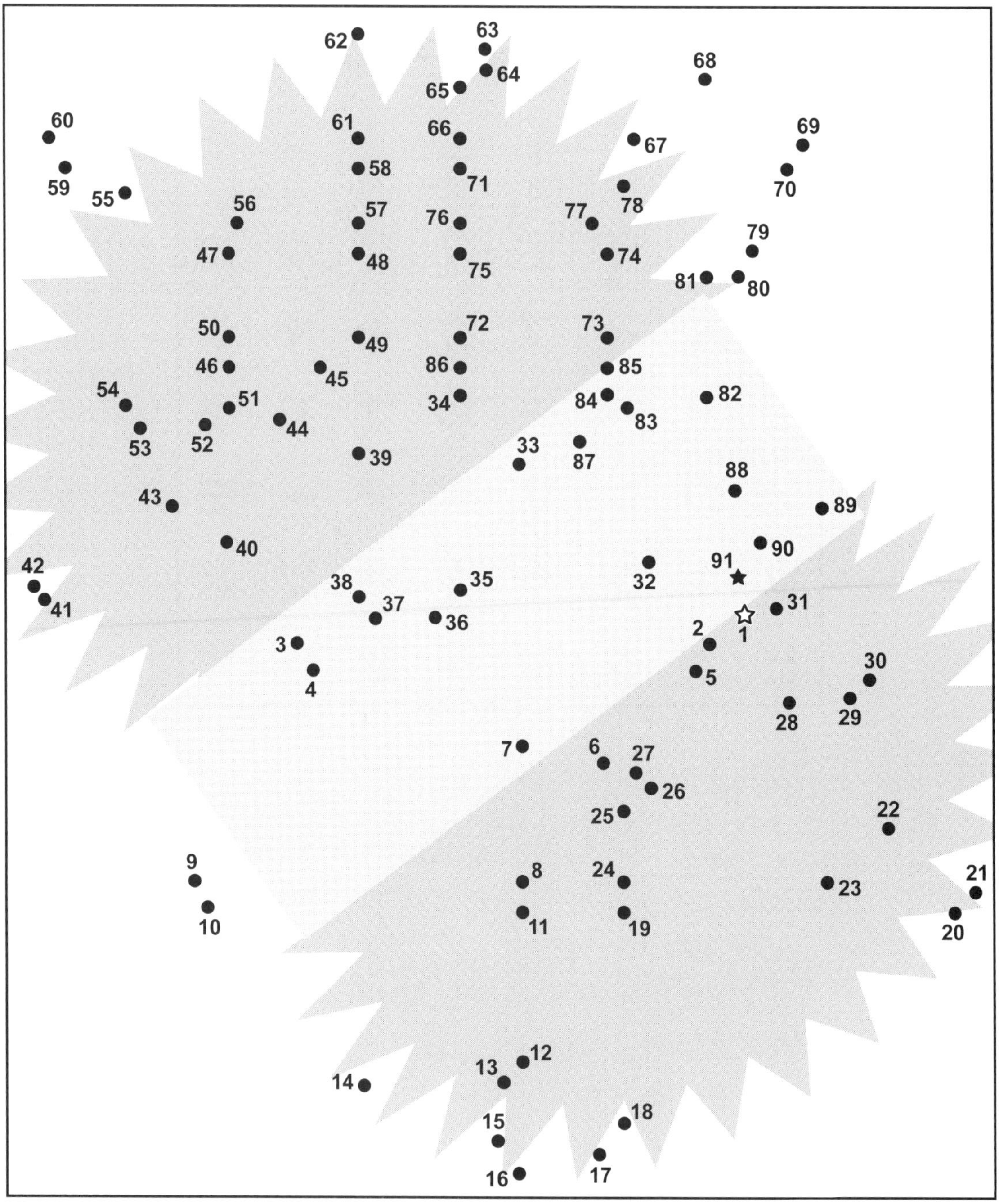

この解答は116ページ

間違い探し

上下の絵には間違いが10個あります。間違いが一番少ないのは【エリア表】のどこでしょう？

この解答は116ページ

文字アート

文字が集まってできたイラストの中に、リスト以外の文字が3つ含まれています。それは何でしょう？

✎　　月　　日

リスト　招・き・猫・小・判・寿

```
　　　　　　　　　　寿寿寿寿　　　　　　　　　　　寿寿寿寿
　　　　　　　　　寿寿　　寿寿　　　　　　　　　寿寿　　寿寿
　　　　　　　　　寿　きき　寿　　　　　　　　寿寿　きき　寿
　　　　　　　　寿寿　ききき　寿寿　　　　　　寿寿　ききき　寿寿
　寿寿寿寿寿寿　寿　ききききき寿寿寿寿寿寿寿寿寿　ききききき　寿
寿寿　　　　寿寿寿　きききき　判猫猫猫猫猫猫猫判　きききき　寿寿
寿　　　　　　寿　ききき　　　判猫猫猫猫猫猫猫判　　　ききき　寿
寿　寿　寿　　寿　き　　　　　判猫猫猫猫猫猫猫判　　　　　き　寿
寿　寿　寿　寿寿　　　　　　　判判猫猫猫猫猫判判　　　　　　　寿
寿寿寿寿寿寿寿寿　　　　　　　　判判判判判判判　　　　　　　　寿
　寿　　　　　寿　　　寿寿寿寿　　　判判判　　　寿寿寿寿　　　寿
　寿　　　　寿寿　　寿寿春　寿寿　　　　　　　寿寿　寿寿寿　　寿寿
　寿　　　　寿　　寿寿　寿寿寿寿寿　　　　　寿寿寿寿寿　寿寿　　寿
　寿　　　　寿　　　寿　　寿寿　寿　　　　　寿　寿寿　　寿　　　寿
　寿　　　　寿　　　　　　　　　　　ききき　　　　　　　　　　　寿
　寿判判　　寿　　　寿　　寿　　　　ききき　　　　寿　　寿　　　寿
　寿猫判判　寿寿　　　　　　　き　　　き　　　き　　　　　　　寿寿
　寿猫猫判　　寿　　　　寿　　きき　ききき　きき　　寿　　　　寿
　寿猫猫判判　寿寿　　　　　　　ききき　ききき　　　　　　　寿寿
　寿寿猫猫判　　寿寿寿　　　　　　　　　　　　　　　　　寿寿寿
　　寿猫猫判　　きき寿寿寿　　　　　　　　　　　　　寿寿寿きき
　　寿猫猫判　　　ききき寿寿寿寿寿寿寿寿寿寿寿寿寿寿寿ききき寿寿
　　寿寿判判　　　　きききききききき判判判きききききききき　　寿寿
　　　寿判　　　寿　招ききききき判判判判判き寿寿寿寿寿寿　　　寿寿
　　　寿寿　　寿寿　招招招招招招判判判判判寿寿　　　　寿寿寿　　寿
　　　　寿寿　寿　　招招招招招招判判寿判判寿　　寿　　　　寿寿　寿寿
　　　　　寿寿寿寿　招招招招招招招判寿判招寿　寿寿　寿　　　寿判判寿
　　　　　　　寿　　招招招招招小小小小小小寿寿寿　寿寿　　　判利判寿
　　　　　　　寿　　招招招招小小小小小小小小寿寿寿寿　　　判判猫猫寿
招招招招招招　寿　　　招招招小小小小小小小小小小小寿寿寿　判猫猫寿
招招招招招招　寿　　　　招小小小寿小小小寿寿寿寿寿小　寿寿寿寿寿　招
招招招招招招　寿　　　　　小小小寿小小小小小小小小小　　　　寿　招招
招招招招招　　寿　　　　　小寿寿寿寿寿小寿寿寿寿寿小　　　　寿　　招
招招招招　寿寿寿寿　　　　小小小小寿寿小寿小小小寿小　　　寿寿寿寿
招招招　寿寿猫判　　　　　小小小小寿寿小寿寿寿寿寿小　　　　判猫寿寿
招招招　寿猫猫判　　　　　小小小寿寿小小小小小小小小　　　　判猫猫寿
招招招　寿猫判判　　　　　小小寿寿寿寿小寿寿寿寿寿小　　　　判判猫寿
招招招　寿判判　　　　　　小寿寿寿小寿小寿小寿小寿小　　　　　判判寿
招招招　寿　　　　　　　　小寿小寿小小小寿寿寿寿寿小　　　　　　　寿
招拓招　寿寿　　　　　　　小小小寿小小小寿小寿小寿小　　　　　　寿寿
招招招招　寿寿寿寿寿　　　小小小寿小小小寿寿寿寿寿小　　寿寿寿寿寿招
招招招　寿寿　　　寿寿　　　小小小小小小小小小小小　　寿寿　　　寿寿
招招招　寿　　　　　寿寿　　小小小小小小小小小小小　寿寿　　　　　寿
招招招　寿　寿　寿　　寿　　　小小小小小小小小小　　寿　　寿　寿　寿
```

この解答は116ページ

パターン塗り絵

記号の入ったマスを【見本】のパターンで塗りつぶしたとき、現れるイラストは何でしょう？　見本のパターンをすべて使用しない場合もあります。

月　日

0	5	8	6	0	0	5	F	F	6	0	0	0	0	0
5	F	E	4	6	0	3	F	F	9	8	6	5	F	9
F	7	A	D	7	0	0	D	1	0	0	B	4	F	F
F	F	8	F	1	0	E	5	F	6	5	8	0	4	F
F	F	F	1	5	E	2	F	E	1	F	F	9	0	7
F	F	F	9	D	0	A	F	1	0	F	6	F	0	7
F	F	F	F	7	0	7	0	F	6	3	F	F	0	7
F	F	F	F	F	0	4	E	1	0	5	A	1	0	7
4	F	F	6	4	F	6	C	9	8	D	0	0	3	1
0	4	F	4	0	4	D	3	9	0	0	0	5	F	6
E	B	0	3	6	3	0	D	4	F	F	F	F	F	7
1	5	D	B	9	5	B	F	9	8	B	F	F	F	F
0	D	B	9	6	D	4	F	F	F	F	E	F	F	F
0	0	0	0	B	F	F	F	F	F	F	F	F	F	F
0	0	0	0	0	A	F	F	F	F	F	F	F	F	D

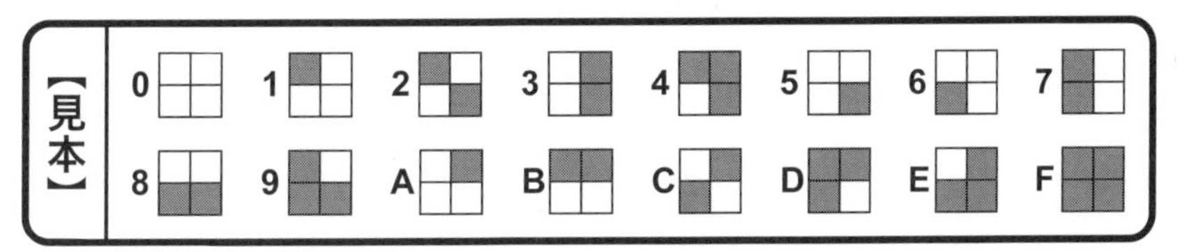

【見本】

0　1　2　3　4　5　6　7

8　9　A　B　C　D　E　F

この解答は116ページ

お絵かきパズル

ルールに従ってマスを塗ると何が現れるでしょう？
リストの①～③の中から選んでください。

月　日

お絵かきの基本ルール3項目

◆タテ・ヨコの数字は、その列の中で連続して塗るマスの数
◆同じ列に複数の数字があるときは、その並びどおりにマスを塗る
◆数字と数字の間は必ず１マス以上空ける

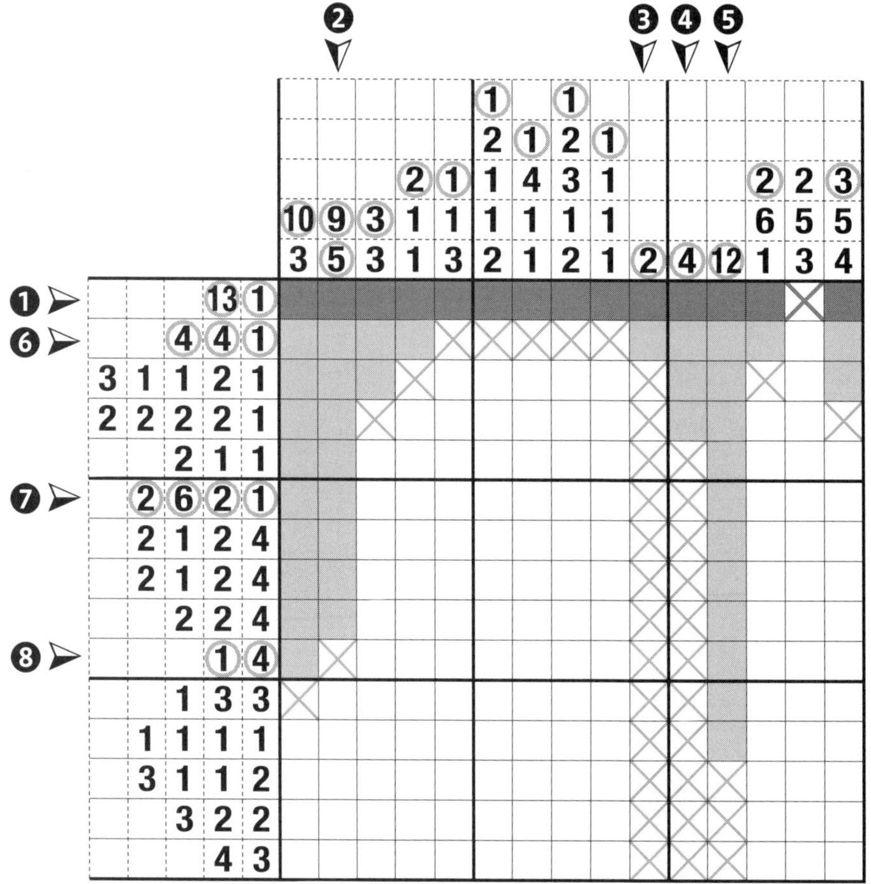

リスト	①ろうそく　②コウモリ　③おばけ

解き方ナビ

矢印の順番に○の付いた数字の数だけマスを塗っていくと、初めての方も迷わずに正解に近付けます。

❶➢ ❷➢ ❸ ❹ …
矢印後方の数字は注目する列の順番です。

① ② ③ ④ …
○が付いている数字は矢印の順番で解いた時に確定できる部分です。

月　日

ナンプレ

この解答は116ページ

タテ９列、ヨコ９列と、太線で囲まれた９個のブロックにはそれぞれ１～９の数字が必ず一つずつ入ります。すべての空きマスに数字を入れてください。

問題1

		2		7		9		
8	3			5			2	4
5	9		1		2		3	8
	1	8				6	5	
2			5		1			9
9		5		8		4		2
6								3
	8		6	9	5		7	
	2	1				5	9	

問題2

		2	7		9			5
1					2		8	
8		7	1	5		2	4	
9	2	6	3			4		
			8		6			
		8			4	6	5	9
	8	1		2	7	5		3
	4		9					2
2			5		8	7		

✎ □月□日

この解答は116ページ

不等号ナンプレ

タテ列とヨコ列にはマスの個数分の数字が一つずつ入ります。各マスの間の不等号は隣り合ったマスに入る数字の大小をあらわします。すべての空きマスに数字を入れてください。

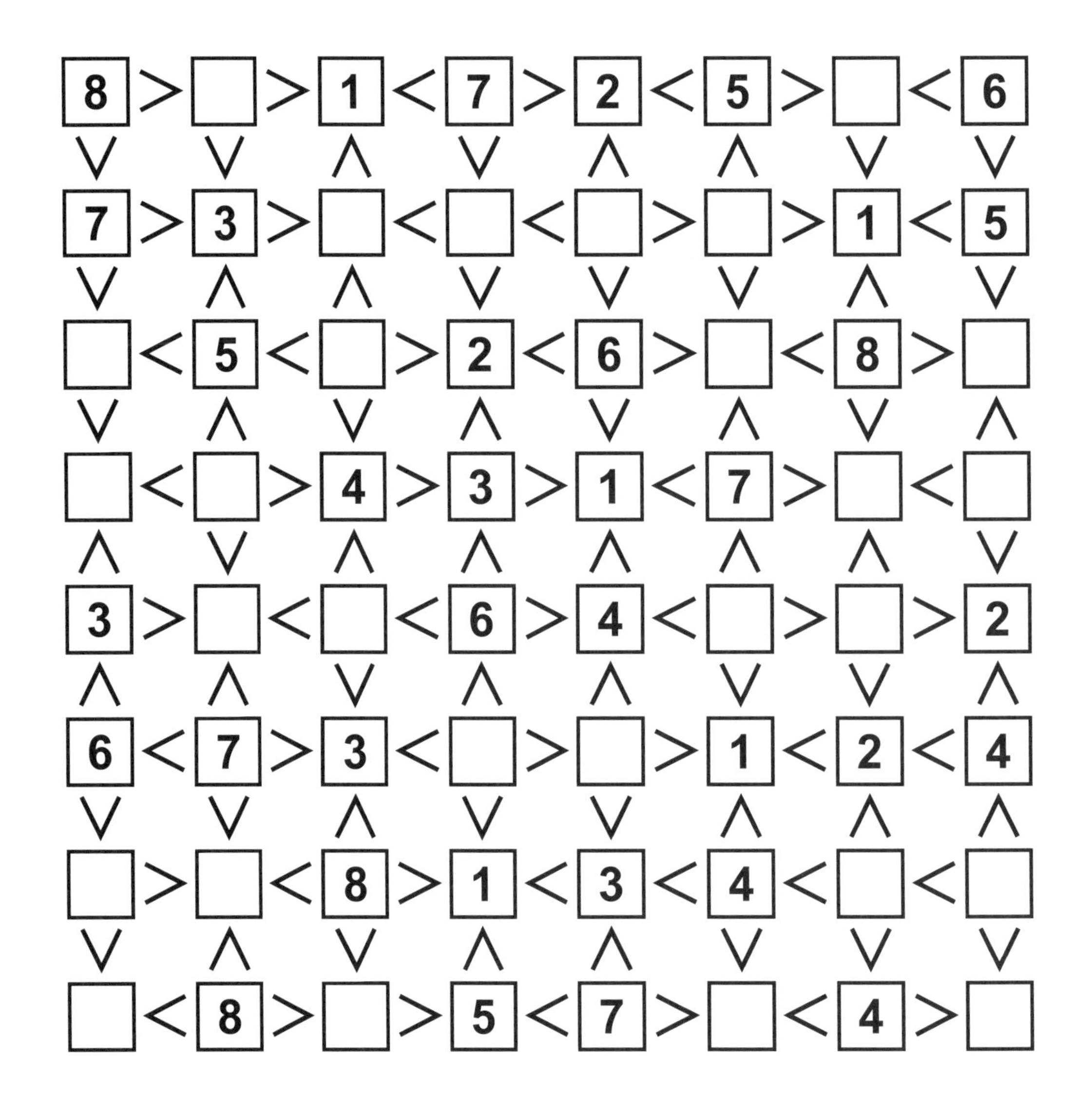

```
8 > □ > 1 < 7 > 2 < 5 > □ < 6
∨   ∨   ∧   ∨   ∧   ∧   ∨   ∨
7 > 3 > □ < □ < □ > □ > 1 < 5
∨   ∧   ∧   ∨   ∨   ∨   ∧   ∨
□ < 5 < □ > 2 < 6 > □ < 8 > □
∨   ∧   ∨   ∧   ∨   ∧   ∨   ∧
□ < □ > 4 > 3 > 1 < 7 > □ < □
∧   ∨   ∧   ∧   ∧   ∧   ∧   ∨
3 > □ < □ < 6 > 4 < □ > □ > 2
∧   ∧   ∨   ∧   ∧   ∨   ∨   ∧
6 < 7 > 3 < □ > □ > 1 < 2 < 4
∨   ∨   ∧   ∨   ∨   ∧   ∧   ∧
□ > □ < 8 > 1 < 3 < 4 < □ < □
∨   ∧   ∨   ∧   ∧   ∨   ∨   ∨
□ < 8 > □ > 5 < 7 > □ < 4 > □
```

この解答は117ページ

合体ナンプレ

三つのナンプレが重なった「合体ナンプレ」です。基本ルールはナンプレと同じですが、重なった部分にはどちらのナンプレも成立する数字が入ります。すべての空きマスに数字を入れてください。

						1			8		5			6
								7		1		9		
							2		3		6		4	
						8		9		3		5		2
									5		9			
						4		2		6		3		9
9			6		4				9		2		5	
		6		1						8		1		
	8		9		3				1		3			4
3		7		6		5		8						
			5		8									
8		4		3		7		9						
	2		3		6				6		9			2
		9		4						5		6		
7			1		5				7		3		8	
						2		5		4		9		7
									1		5			
						1		6		3		8		5
							8		2		1		9	
								9		6		7		
						7			3		4			8

この解答は117ページ

四角に区切ろう

数字とマスの数が同じになるように、盤面を四角（正方形または長方形）に切り分けてください。どの四角にも数字は必ず一つずつ含まれます。

月　日

	6						8				
					4						9
						7				7	
		8						5			
			4		3						
	7								4		
		10				5					
8											
								9			
							15				
				6							
	16					3					

この解答は117ページ

同じ数つなぎ

同じ数字を線でつないでください。線は、他の線や数字の上を通過することはできません。

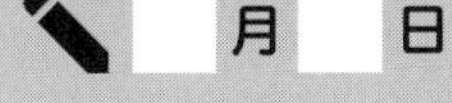

問題1

			5	4			9				
					6					10	9
	6	7					10	11	3		
5			1	8			4				
								7	2	11	
1	8		2							3	

問題2

1	3								6	8	
	5		6	9						7	
				3	2			2			
			5	4		9	10		10		
	4								7		8
						1	11				11

この解答は117ページ

クロスワード

タテのカギ、ヨコのカギをヒントに、クロスワードを解いてください。A～Eの文字を並べてできる言葉は何でしょう？

月　日

解答

A	B	C	D	E

タテのカギ

1 歌舞伎役者の「音羽屋」「高麗屋」など
2 ネバー○○アップ！
3 副題＝○○タイトル
4 落語で、本編に入る前の短い話
5 ひと眠り。昨夜は○○○○もできなかった
6 「模擬試験」の略
8 類人猿の中で最大とされる動物
10 笛やトランペットはこの一種
11 はっきり示すこと
12 犬が○○向きゃ尾は東
14 新たな分野を切り開く人。パイオニア
15 手先でする仕事が苦手なタイプ
17 ２つそろって一組となるもの
19 もはや一刻の○○○も許されない
21 徳川御三家は、紀伊と水戸と？
23 いい案を出そうとしぼる

ヨコのカギ

1 ヒツジと鳴き声が似ている動物
3 甘藷（かんしょ）はこの野菜の別名
7 互いの実力などに差がないこと
9 指折り。日本○○○の名城
10 童謡『七つの子』に歌われる鳥
11 しみやそばかすの原因となる色素
13 ○○エビ、○○参り、○○神宮
15 勝利のサイン
16 １日はエープリルフール
18 七十七歳の祝い
20 過去のことを思い出してしのぶこと
22 シャイな性格
24 日本古来の紙
25 歌麿、写楽、北斎らが描いた
26 現在販売中の家

この解答は117ページ

漢字詰めクロス

マス目に〈リスト〉の漢字を入れてクロスワードを完成させ、〈リスト〉に残った2文字でできる言葉を答えてください。

月　日

	言	■		年		■	白
度	■		上	■		珠	
	裏		■	誠		■	粉
間	■		因	■	見		■
■		負	■	認	■		計
	伝	■				議	■
生	■	駐		■	春	■	想
	覧		■	初		設	

解答

〈リスト〉

□数　□勝　□真　□剣　□器

□不　□期　□思　□在　□会

□手　□最　□本　□玉　□定

□観　□少　□車　□人　□意

□大　□可　□二　□自

この解答は117ページ

48 スケルトン

マス目の数と同じ文字数の言葉を〈リスト〉から選び、当てはめてください。最後に、〈リスト〉に残る言葉を答えてください。※小さい「ッ」や「ャ」なども大きな文字として扱います。

月　日

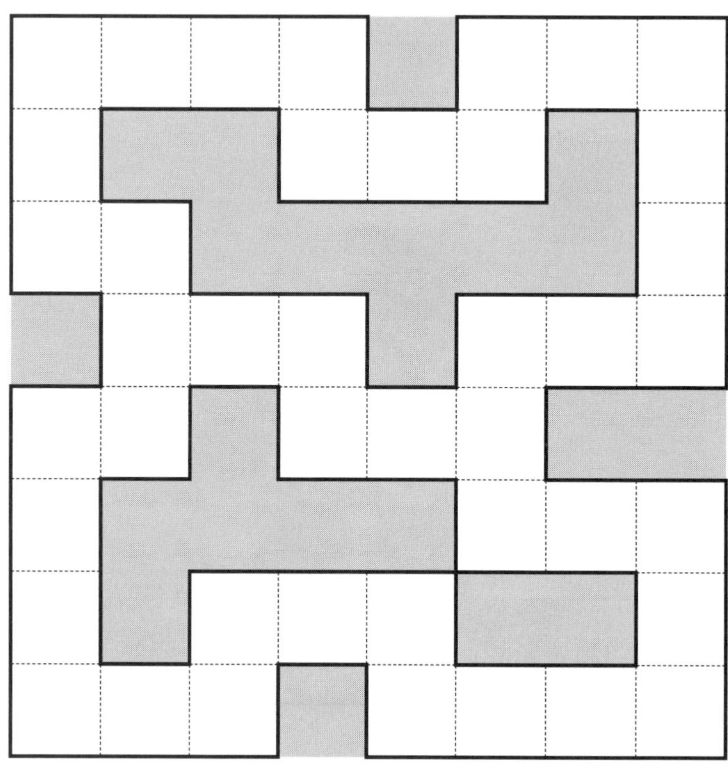

解答

〈リスト〉

2文字
□イチ（位置）
□エダ（枝）
□ナワ（縄）
□ハリ（針）
□フダ（札）
□マゴ（孫）
□ミス

3文字
□イズミ（泉）
□ウズラ
□ウワサ（噂）
□クビワ（首輪）
□サラダ
□スハダ（素肌）
□ダイリ（代理）
□ダエン（楕円）
□チーズ
□ナカマ（仲間）
□ハレマ（晴れ間）
□ハンイ（範囲）
□ラクダ

4文字
□イタマエ（板前）
□ゴジュン（語順）
□フォーク
□マイアサ（毎朝）

この解答は118ページ

漢字読みアロー（日本家屋）

月　日

マスに入っている漢字もしくは熟語の読みを、矢印が示すところに入れてください。タテに入る言葉は上から下、ヨコに入る言葉は左から右に入ります。最後にA～Eの文字を並べてできる言葉を答えてください。

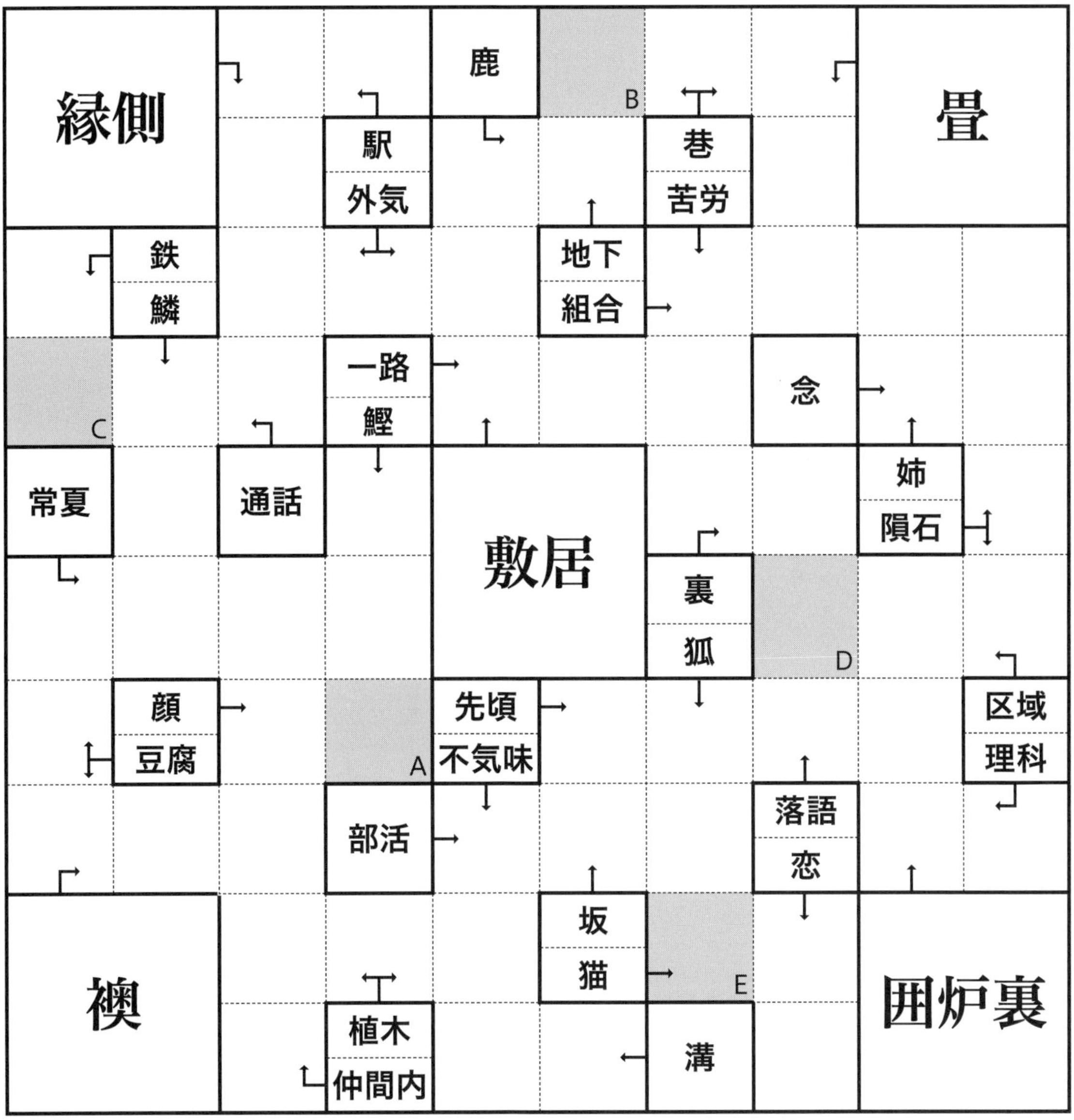

縁側　鹿　B　畳
駅　外気　巷　苦労
鉄　鱗　地下　組合
C　一路　鰹　念
常夏　通話　敷居　姉　隕石
裏　狐　D
顔　豆腐　A　先頃　不気味　区域　理科
部活　落語　恋
襖　坂　猫　E　囲炉裏
植木　仲間内　溝

解答

A	B	C	D	E

この解答は118ページ

言葉さがし

〈リスト〉のおもちゃをすべて一直線上に見つけてください。

チ	ク	ロ	ゴ	ス	ケ	タ	マ
ダ	コ	ン	メ	ロ	コ	ダ	ン
ル	メ	イ	ト	デ	ン	ワ	セ
マ	ボ	ツ	ダ	ケ	ナ	ワ	ウ
オ	ン	ミ	ツ	ン	ノ	ナ	フ
ト	ト	キ	カ	エ	デ	ゲ	ミ
シ	ケ	ル	チ	マ	コ	ン	カ
マ	タ	マ	ル	グ	ザ	カ	デ

〈リスト〉

□イトデンワ（糸電話）
□カザグルマ（風車）
□カミフウセン（紙風船）
□カルタ
□ケンダマ（けん玉）
□コマ（独楽）
□スゴロク（双六）
□タケトンボ（竹とんぼ）
□タコ（凧）
□ダルマオトシ（だるま落とし）
□チエノワ（知恵の輪）
□ツミキ（積み木）
□デンデンダイコ（でんでん太鼓）
□メンコ（面子）
□ワナゲ（輪投げ）

この解答は118ページ

点つなぎ迷路

月　日

☆から★まで順に点をつなぐと、迷路があらわれます。スタートからゴールまで迷わずに進んだとき、通ったリンゴは何個あったでしょう？

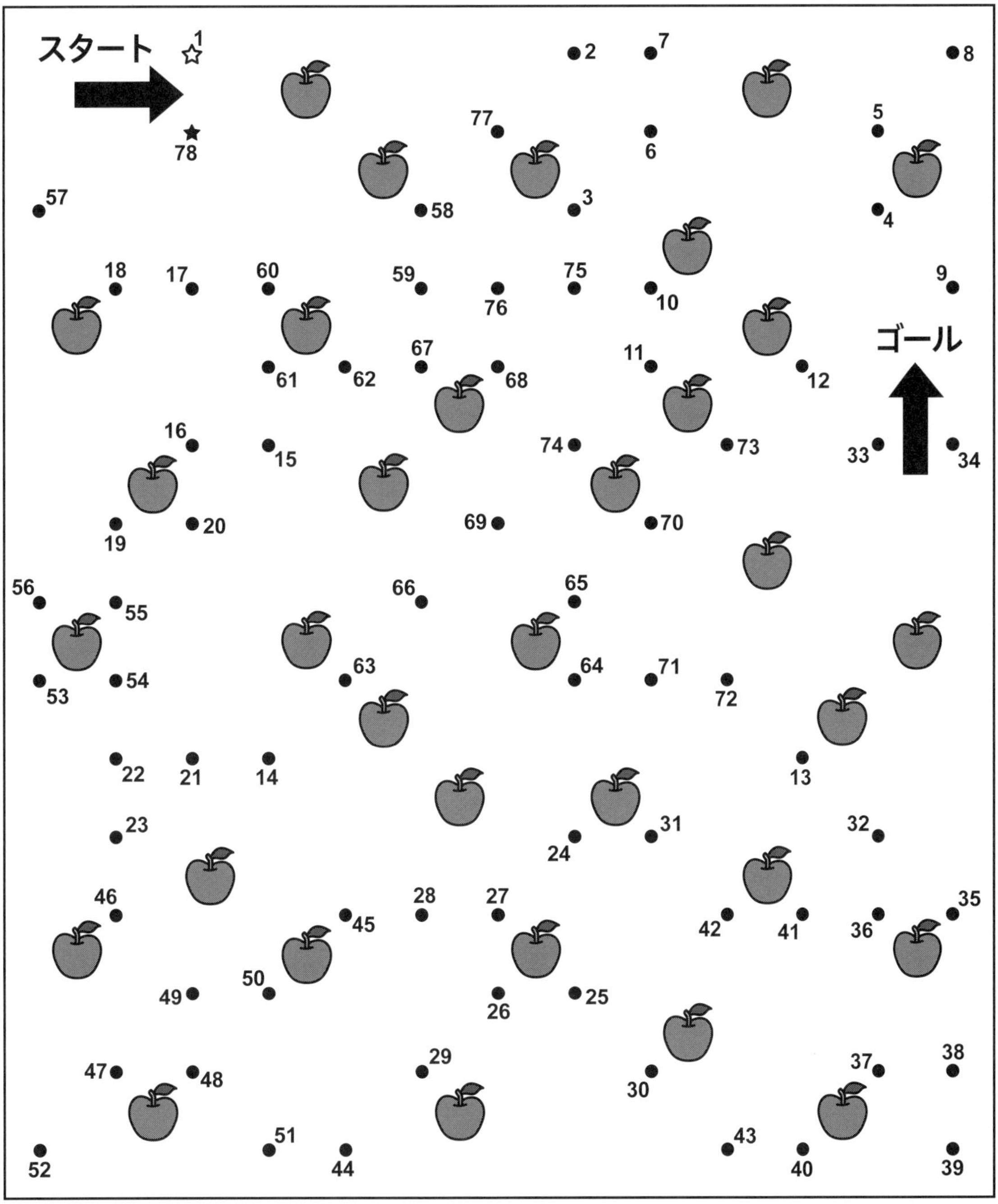

スタート

ゴール

間違い探し

この解答は118ページ

上下の絵には間違いが10個あります。間違いが一番多いのは【エリア表】のどこでしょう？

月　日

【エリア表】

この解答は118ページ

文字アート

文字が集まってできたイラストの中に、リスト以外の文字が3つ含まれています。それは何でしょう？

月　日

リスト 貝・叩・海・生・物

```
貝貝貝貝貝貝貝
貝貝貝貝貝貝貝貝貝貝貝　　生生生生　生生生生生生生生生　生生生生
貝貝貝貝具貝貝貝　　　　生生生生生生生　　　　　　　生生生生生生生
貝貝貝貝　　　　　　　　生生生生生　　　　　　　　　　　生生生生生
貝　　　　　　　　　　　生生生生　　　　　　　　　　　　　生生生生
貝貝貝貝貝貝貝　　　　　生生生　　　　　　　　　　　　　　　生生生
貝貝貝貝貝貝貝貝貝　　　　生　　　　　　　　　　　　　　　　　生
貝貝貝貝　　　　　　　　生生　　　　　　　　　　　　　　　　　生生
貝　　　　　　　　　　　生　　　生生　　　　　　　生生　　　　　生
　　　　　　　　　　　　生　　　生生　　生生生　　生生　　　　　生
　　　　　　　　　　　　生　　　　　　生生生生生　　　　　　　　生
　　　　　　　　　　　　生　　　　　　生生生生生　　　　　　　　生
貝貝　　　　　　　　　　生　　　　　　　生生生　　　　　　　　　生
貝貝貝貝　　　　　　　　生生　　　　生　　生　　生　　　　　　生生
　　　　　　　　　　　　　生　　　　生生生生生生生　　　　　　生
　　貝貝貝貝貝貝貝　　　　生生　　　　　　　　　　　　　　　生生
貝貝貝貝貝貝貝貝貝貝　　　　生生生　　　　　　　　　　　生生生
貝貝貝貝貝貝貝貝貝貝貝貝　　　生生生生生生生生生生生生生生叩海
貝貝貝貝貝貝貝貝貝貝貝　　　海海叩叩叩物物物物物叩叩叩叩印叩海海
貝貝貝貝貝貝貝貝　　　　　海海海海叩叩叩物物物叩叩叩叩叩叩叩叩海
貝貝　　　　　　　　　　海海叩叩叩海叩物物物物物叩海海海叩叩叩海
貝貝貝貝　　　　　　　　海叩叩叩叩海物物物物物物海叩叩海海叩叩海
貝貝貝貝貝貝　　　　　　海叩叩叩海物物　物物　物海叩叩叩叩叩叩海
貝貝　　　　　　　　　　海海叩海海物　物物　物物物海叩叩叩叩叩海
　　　　　　　　　　　　　海海海海物　物物　物物物海海叩叩叩海海
　　　　　　　　　　　海海叩叩叩叩叩物物物物物物叩叩海海海海海海
　　　　　海海海　　海海叩叩叩叩叩叩叩叩叩叩叩叩叩叩叩叩海海海海
　　　　海海叩海海海海叩叩叩叩叩叩叩海海海叩叩叩叩叩叩叩叩叩海海
　　　　海叩叩叩海海叩叩叩叩叩叩叩海海叩海海叩海海海海叩叩海海
　　　　海叩叩叩叩海叩叩叩叩叩叩叩海叩叩叩海海海叩叩叩叩叩海海
　　　　海海叩叩叩海海叩叩叩叩叩叩海叩叩叩海海叩叩叩叩叩海海海
　　　　　海海叩叩叩海叩叩叩叩叩叩海海叩叩叩海叩叩叩叩叩海海
　　　　　　海海叩叩叩叩叩叩叩叩叩叩海叩叩叩海叩叩叩叩海海海
　　　　　　　海海叩叩叩叩叩海海叩叩海海叩叩海叩叩叩海海海
　　　　　　　　海海叩叩海海海叩叩叩叩海叩叩叩叩叩叩海海海
　　　　　　　　　海海海海叩叩叩叩叩叩海海叩叩叩海海海海　　　　　　貝
　　　海海海海海海海叩叩叩叩叩叩叩叩海海海叩叩海海海海　　　　　貝貝貝
　海海海叩叩叩叩叩叩叩叩叩叩叩叩叩海海海海海海海海　　　　貝貝貝貝貝貝
海海叩叩叩叩叩叩叩叩叩叩叩叩海海海海　　　　　　　　貝貝貝貝貝貝貝貝貝
海叩叩叩叩叩叩叩叩叩叩叩梅海海海海　　　　　　　　　　　　　　　貝貝貝
海叩叩叩叩叩叩叩叩叩海海海海海海　　　　　　　　　　　　　　　　　貝貝
海海叩叩叩叩叩叩海海海海海海　　　　　　　　　　　　　　　貝貝貝貝貝貝
海海海海海海海海海海海海　　　　　　　　　　　　貝貝貝貝貝貝貝貝貝貝貝
　海海海海海海海海　　　　　　　　　　　　貝貝貝貝貝貝貝貝貝貝貝貝貝貝
```

月　日

この解答は118ページ

パターン塗り絵

記号の入ったマスを【見本】のパターンで塗りつぶしたとき、現れるイラストは何でしょう？　見本のパターンをすべて使用しない場合もあります。

0	5	4	9	0	5	F	7	B	B	B	B	D	F	F
0	3	F	F	0	D	E	F	6	A	B	B	B	D	F
5	6	B	1	3	7	D	E	4	6	0	B	B	B	B
9	F	0	5	E	8	8	1	F	7	5	E	F	4	6
A	1	E	F	F	F	F	F	E	1	F	F	9	0	4
0	E	F	F	F	F	F	F	F	9	F	D	8	8	D
3	D	4	C	F	F	F	1	E	F	F	F	1	0	0
D	F	E	2	B	F	D	3	1	F	F	9	8	6	0
9	0	0	E	0	0	0	D	0	F	F	C	4	D	9
A	4	E	1	0	5	E	1	0	3	F	F	7	F	3
0	6	A	F	D	4	F	D	9	A	D	9	4	C	B
9	9	7	F	4	6	9	B	A	7	4	6	0	7	0
A	D	0	A	9	1	A	9	E	1	0	B	B	5	8
5	4	5	0	5	3	5	0	0	0	8	8	8	8	E
A	F	D	0	A	F	D	0	5	8	8	8	E	E	F

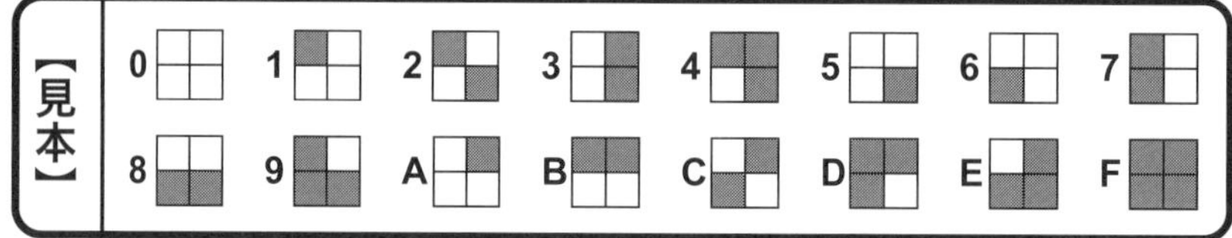

この解答は119ページ

お絵かきパズル

ルールに従ってマスを塗ると何が現れるでしょう？
リストの①～③の中から選んでください。

月　　日

お絵かきの基本ルール3項目

- ◆タテ・ヨコの数字は、その列の中で連続して塗るマスの数
- ◆同じ列に複数の数字があるときは、その並びどおりにマスを塗る
- ◆数字と数字の間は必ず１マス以上空ける

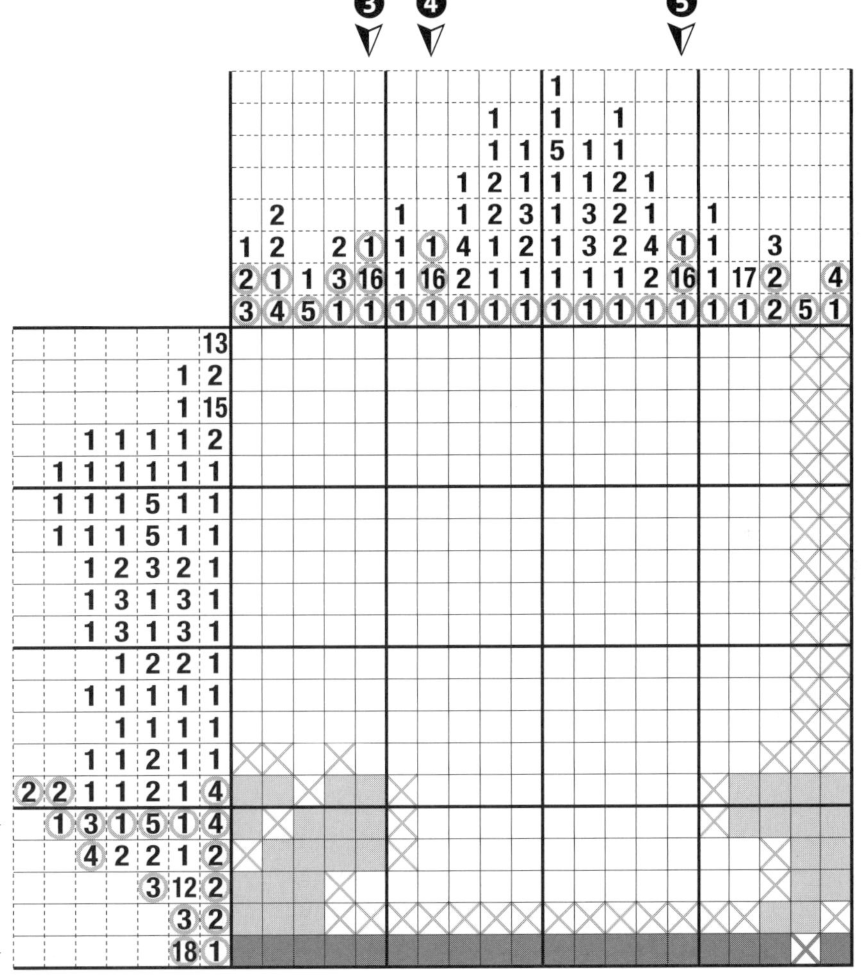

リスト

①砂時計
②鳥居
③花瓶

解き方ナビ

矢印の順番に○の付いた数字の数だけマスを塗っていくと、初めての方も迷わずに正解に近付けます。

矢印後方の数字は注目する列の順番です。

①②③④…

○が付いている数字は矢印の順番で解いた時に確定できる部分です。

この解答は119ページ

ナンプレ

月　日

タテ９列、ヨコ９列と、太線で囲まれた９個のブロックにはそれぞれ１～９の数字が必ず一つずつ入ります。すべての空きマスに数字を入れてください。

問題1

		4	1		6	9		
	5		2	7	3		4	
6		1				2		8
	4			5			6	
3	9			4			8	2
1	6			2			9	7
5			8		9			4
		6	4		2	8		
	8	2				6	3	

問題2

	6		8				4	
3	4		2	5		1		6
		5			1	9	8	
	5	1		2	7	8		
8								4
		6	4	1		3	5	
	1	7	9			4		
2		3		6	4		9	7
	9				2		3	

この解答は119ページ

不等号ナンプレ

□月□日

タテ列とヨコ列にはマスの個数分の数字が一つずつ入ります。各マスの間の不等号は隣り合ったマスに入る数字の大小をあらわします。すべての空きマスに数字を入れてください。

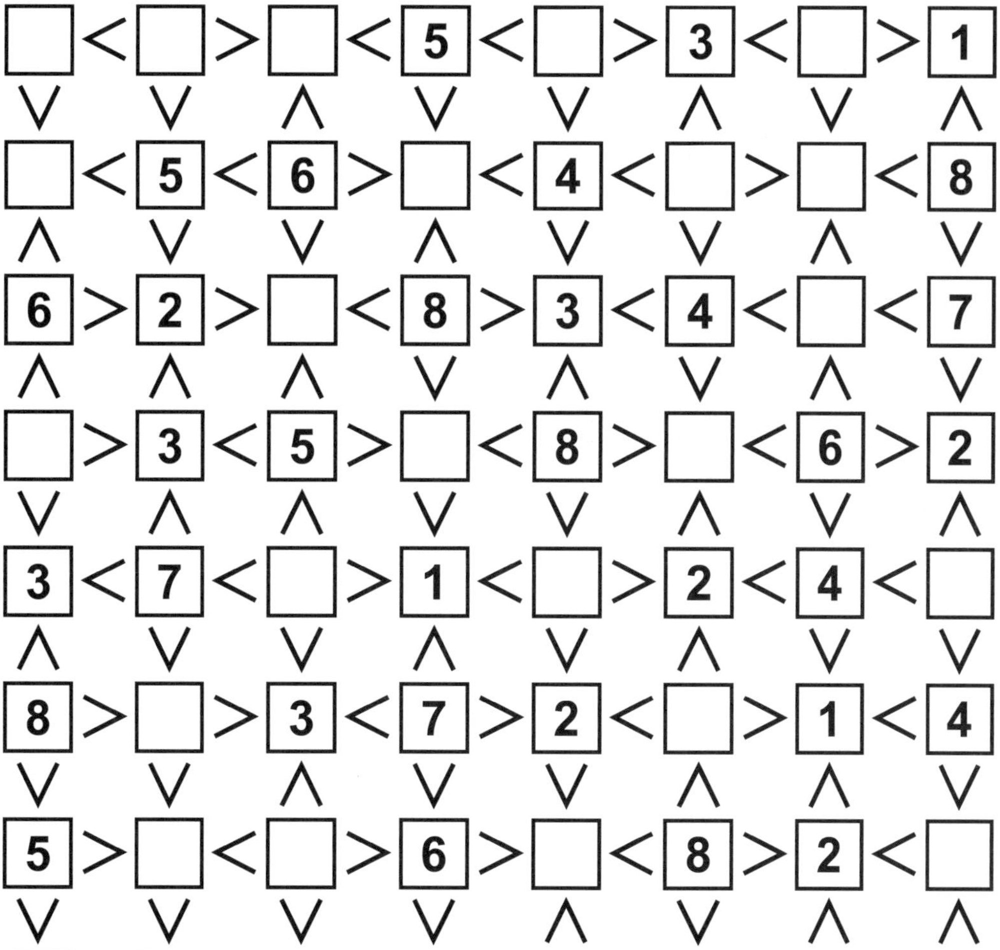

□ < □ > □ < 5 < □ > 3 < □ > 1
∨ ∨ ∧ ∨ ∨ ∧ ∨ ∧
□ < 5 < 6 > □ < 4 < □ > □ < 8
∧ ∨ ∨ ∧ ∨ ∨ ∧ ∨
6 > 2 > □ < 8 > 3 < 4 < □ < 7
∧ ∧ ∧ ∨ ∧ ∨ ∧ ∨
□ > 3 < 5 > □ < 8 > □ < 6 > 2
∨ ∧ ∧ ∨ ∨ ∧ ∨ ∧
3 < 7 < □ > 1 < □ > 2 < 4 < □
∧ ∨ ∨ ∧ ∨ ∧ ∨ ∨
8 > □ > 3 < 7 > 2 < □ > 1 < 4
∨ ∨ ∧ ∨ ∨ ∧ ∧ ∨
5 > □ < □ > 6 > □ < 8 > 2 < □
∨ ∨ ∨ ∨ ∧ ∨ ∧ ∧
2 > □ < 4 > □ < 7 > □ < □ > □

この解答は119ページ

合体ナンプレ

三つのナンプレが重なった「合体ナンプレ」です。基本ルールはナンプレと同じですが、重なった部分にはどちらのナンプレも成立する数字が入ります。すべての空きマスに数字を入れてください。

月　日

		5		6		7		1						
4	6		1		9		3							
9				5				2						
		8	4			1								
	2			3	7		8	9						
5					2		4							
		1	9							9				2
7					1				4		1	7		
	4			8						5			4	3
								1			7	2		
						5	4		6	3			7	1
								7			5	6		
	4			1						2			6	8
6					3				8		3	5		
		2	9							7				9
8					4		5							
	2			7	8		9	4						
		4	5			2								
1				2				3						
4	5		7		6		1							
		7		8		5		6						

この解答は119ページ

四角に区切ろう

数字とマスの数が同じになるように、盤面を四角（正方形または長方形）に切り分けてください。どの四角にも数字は必ず一つずつ含まれます。

月　日

					5						
		5		6						6	
3						12					
					12						5
										3	
											8
		6					5				
	8								8		
				9							
9						4					
		10								5	
			7						8		

この解答は119ページ

同じ数つなぎ

同じ数字を線でつないでください。線は、他の線や数字の上を通過することはできません。

問題1

		9		6		2				3	
		2				4	8	5			
9		6			1					8	
7						10		4		5	
	1						3				
					7						10

問題2

1					8	7					
		10	5				5		3	9	
					10	3					
						1	9			4	7
	8		6	4							2
						6	2				

この解答は120ページ

クロスワード

タテのカギ、ヨコのカギをヒントに、クロスワードを解いてください。A～Eの文字を並べてできる言葉は何でしょう？

月　日

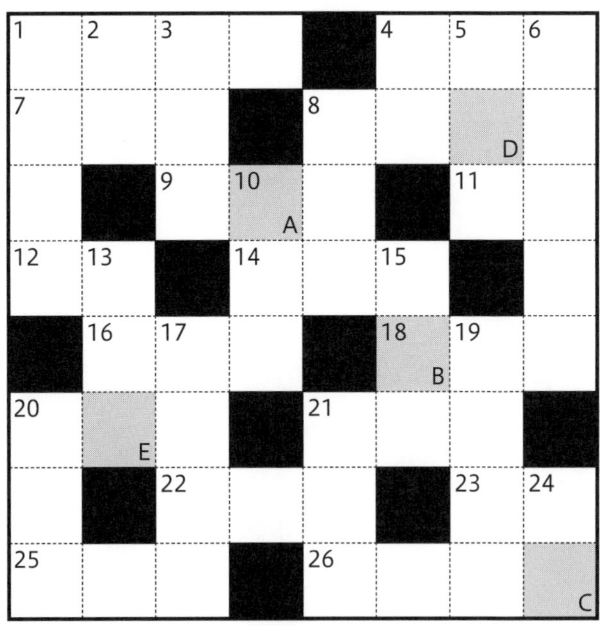

解答

A	B	C	D	E

タテのカギ

1 俗に言う「はてなマーク」
2 日照り雨とも言う「狐の○○入り」
3 ○○○まき直しを図る
4 アルカリ性の反対は○○性
5 缶詰のツナはこの魚
6 アンコウのさばき方
8 多い所はジメジメする
10 北京ダックはこの一品種
13 水の表面。○○○に映る月
15 しらんぷりすること
17 現役に別れを告げる
19 丸顔より少しほっそり系の顔
20 山椒は○○○でもぴりりと辛い
21 滋賀県の県庁所在地
24 足で、ふくらはぎの反対側

ヨコのカギ

1 馬を操り、馬車を走らせる人
4 取るに足りないこと
7 絹ごしよりかための豆腐
8 ホテルの一人用客室
9 単位はヘクトパスカル
11 液体をこすときに使う紙
12 「手紙」の古風な言い方
14 江戸時代の消防組織
16 「エジプトの母」とも呼ばれる川
18 花の○○○がただよう
20 一面に細かい文様を散らした着物
21 桃太郎にはイヌ、サル、キジ
22 第66代総理大臣は三木○○○
23 へたがある紫色の野菜
25 野暮と同じこと
26 お寺でゴーン、ゴーンと鳴らす

この解答は120ページ

漢字詰めクロス

マス目に〈リスト〉の漢字を入れてクロスワードを完成させ、〈リスト〉に残った2文字でできる言葉を答えてください。

□月□日

<table>
<tr><td></td><td>務</td><td></td><td>■</td><td>完</td><td></td><td>無</td><td></td></tr>
<tr><td>柄</td><td>■</td><td></td><td>柱</td><td>■</td><td>自</td><td>■</td><td>席</td></tr>
<tr><td>■</td><td>談</td><td></td><td>■</td><td>不</td><td></td><td></td><td>■</td></tr>
<tr><td>言</td><td></td><td>■</td><td>首</td><td></td><td>■</td><td>着</td><td></td></tr>
<tr><td>■</td><td></td><td>呂</td><td>■</td><td>合</td><td></td><td>■</td><td>相</td></tr>
<tr><td></td><td>発</td><td>■</td><td>屈</td><td>■</td><td>面</td><td></td><td></td></tr>
<tr><td>来</td><td>■</td><td>勉</td><td></td><td></td><td>■</td><td>置</td><td>■</td></tr>
<tr><td></td><td>理</td><td></td><td>■</td><td></td><td>団</td><td></td><td>人</td></tr>
</table>

解答

〈リスト〉

□全	□手	□話	□温	□倒
□法	□事	□学	□都	□欠
□厚	□家	□論	□動	□見
□産	□心	□図	□風	□財
□強	□電	□長	□出	

この解答は120ページ

スケルトン

マス目の数と同じ文字数の言葉を〈リスト〉から選び、当てはめてください。最後に、〈リスト〉に残る言葉を答えてください。

月　日

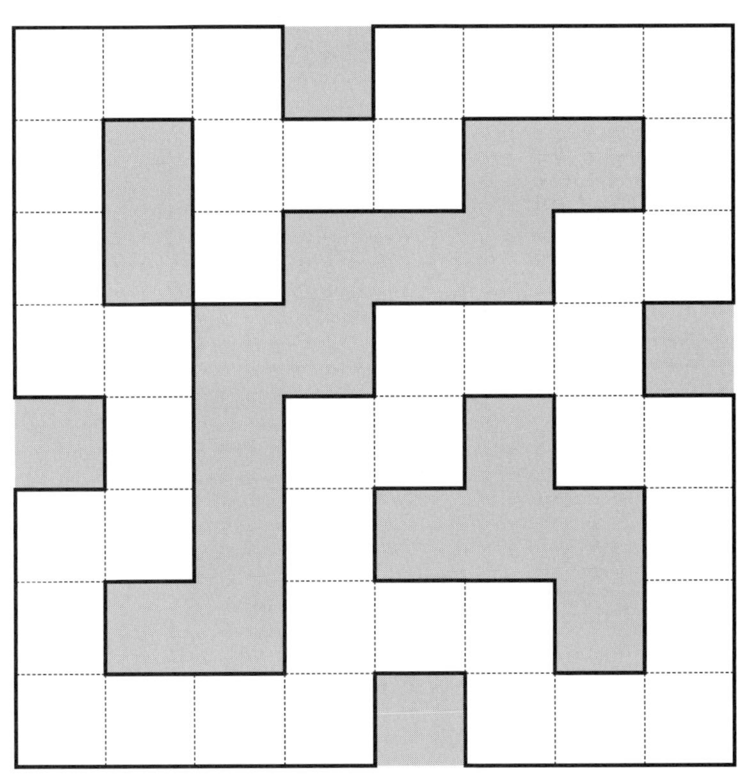

解答

〈リスト〉

2文字
- □ウシ（牛）
- □カコ（過去）
- □カマ（鎌）
- □クマ（熊）
- □ジコ（自己）
- □テラ（寺）
- □ミコ（巫女）
- □モジ（文字）

3文字
- □ウラテ（裏手）
- □カナタ（彼方）
- □カメラ
- □カルタ
- □コウカ（効果）
- □コダマ（木霊）
- □コムギ（小麦）
- □ジジツ（事実）
- □スモモ
- □ナミマ（波間）
- □モヤシ

4文字
- □クツヒモ（靴紐）
- □コテージ
- □タイソウ（体操）
- □ミチスウ（未知数）
- □ラクサツ（落札）

この解答は120ページ

漢字読みアロー（リラックス）

月　日

マスに入っている漢字もしくは熟語の読みを、矢印が示すところに入れてください。タテに入る言葉は上から下、ヨコに入る言葉は左から右に入ります。最後にA～Eの文字を並べてできる言葉を答えてください。

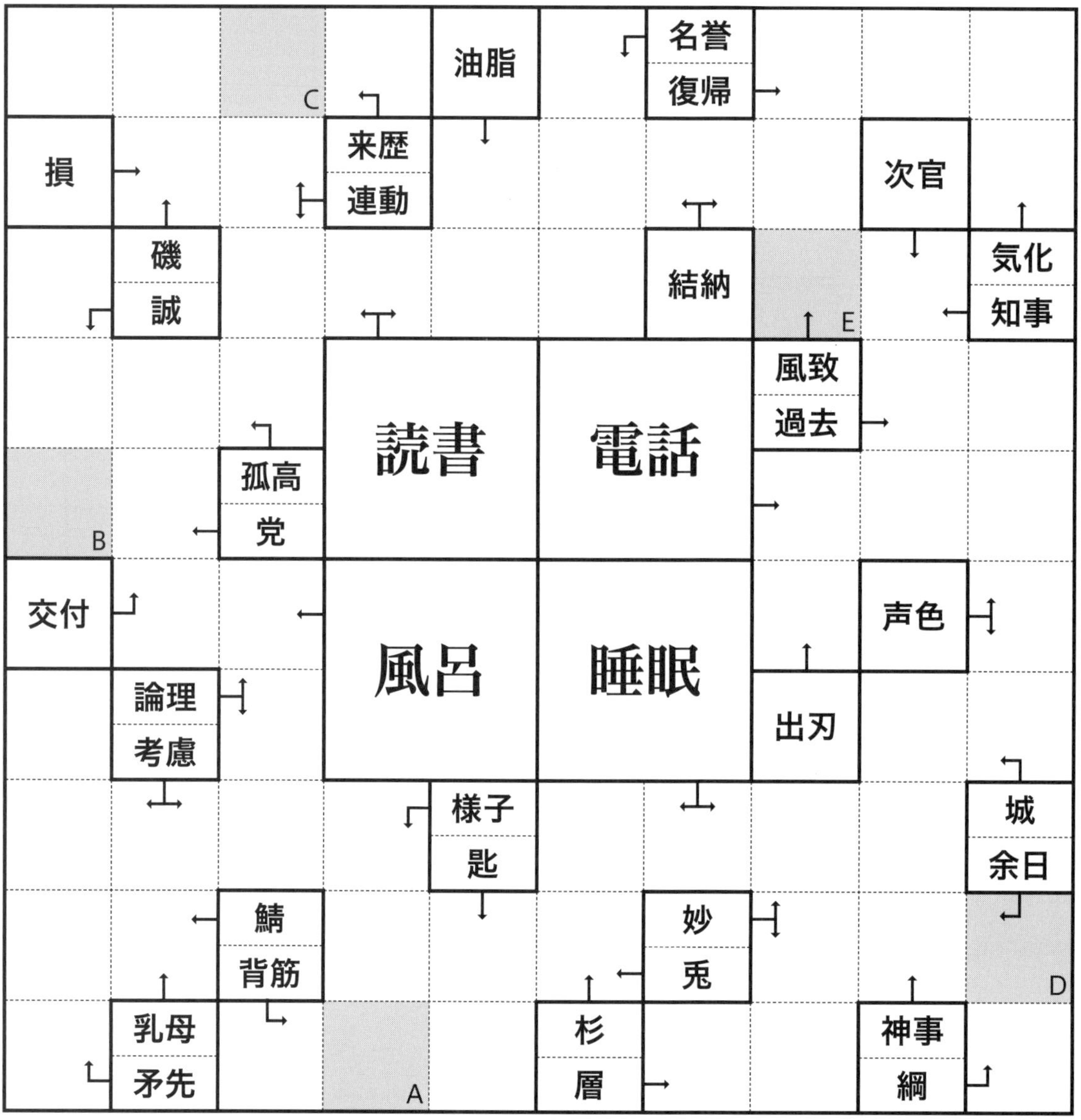

			C	油脂		名誉 復帰			
損			来歴 連動					次官	
	磯 誠					結納	E	気化 知事	
			読書		電話		風致 過去		
B		孤高 党							
交付			風呂		睡眠			声色	
	論理 考慮						出刃		
				様子 匙					城 余日
		鯖 背筋				妙 兎			D
	乳母 矛先		A		杉 層			神事 綱	

解答

A	B	C	D	E

この解答は120ページ

言葉さがし

〈リスト〉の花をすべて一直線上に見つけてください。※小さい「ッ」や「ャ」なども大きな文字として扱います。

イ	ウ	メ	オ	ラ	バ	レ	ト
サ	ジ	ガ	ラ	ス	ベ	ガ	ツ
ジ	サ	イ	ミ	チ	チ	ー	レ
ア	イ	レ	ー	ユ	リ	マ	ガ
ン	ヨ	シ	ー	ネ	ー	カ	ー
リ	ラ	リ	ワ	マ	ヒ	ワ	マ
ツ	ツ	ズ	ス	ン	ラ	ク	サ
プ	ス	コ	ス	モ	ス	モ	キ

〈リスト〉

- □アサガオ（朝顔）
- □アジサイ
- □ウメ（梅）
- □カーネーション
- □ガーベラ
- □キク（菊）
- □コスモス
- □サクラ（桜）
- □スズラン
- □スミレ
- □チューリップ
- □バラ
- □ヒマワリ
- □マーガレット
- □ユリ

この解答は120ページ

熟語点つなぎ

☆から★まで順に点をつなぐと、漢字２文字の熟語があらわれます。その読みを答えてください。

月　日

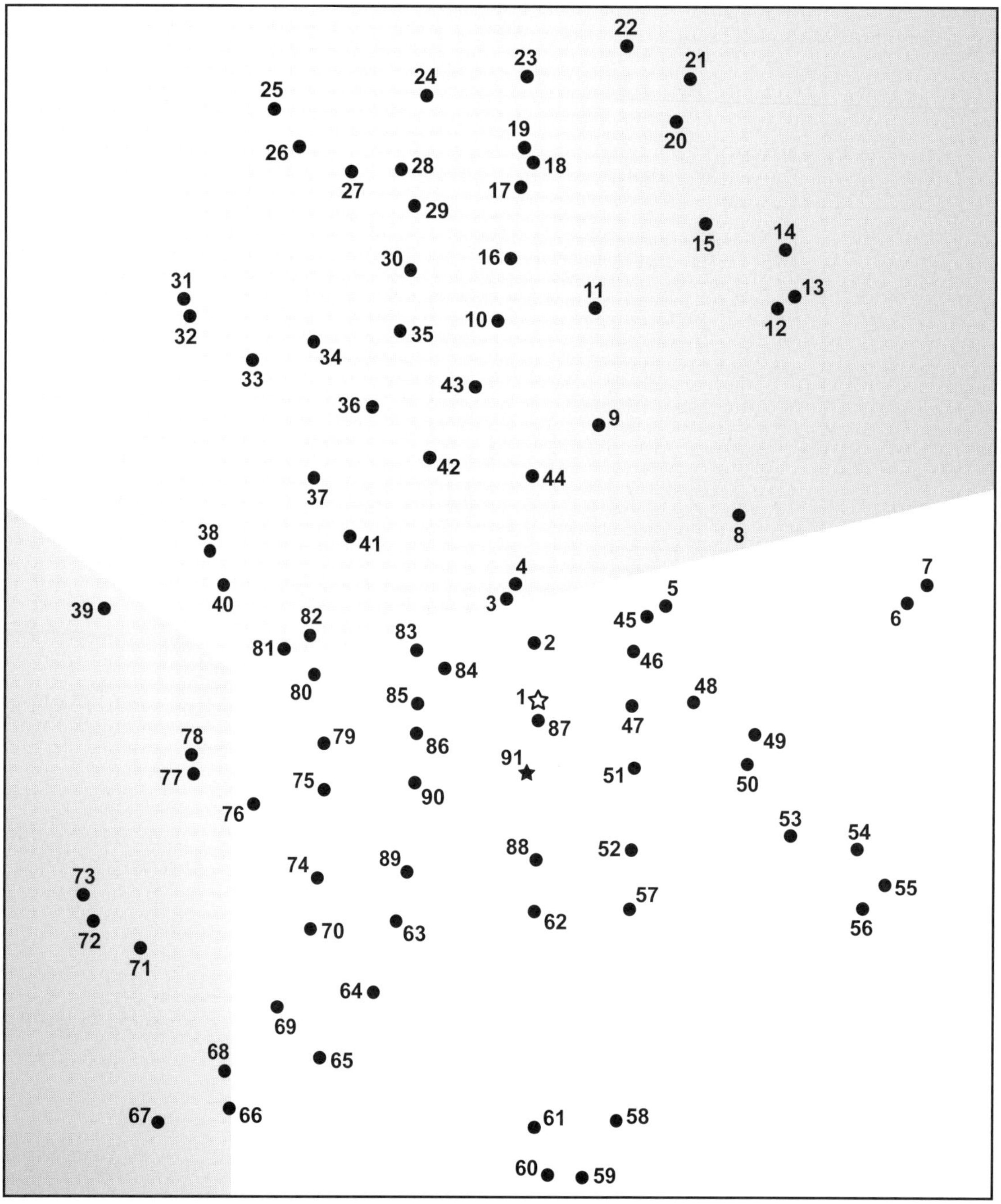

この解答は121ページ

間違い探し

上下の絵には間違いが10個あります。間違いが一番少ないのは【エリア表】のどこでしょう？

【エリア表】

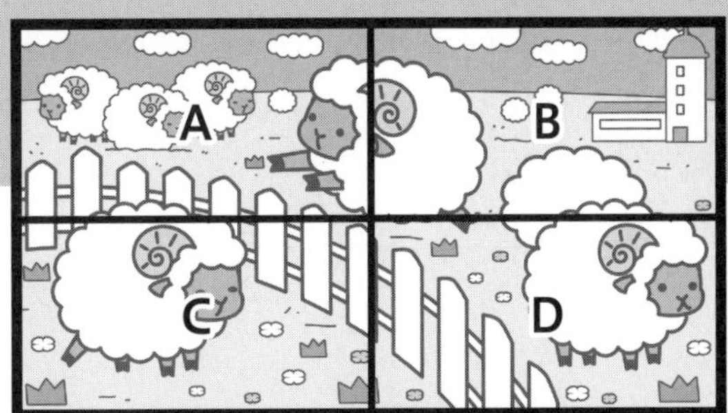

この解答は121ページ

文字アート

文字が集まってできたイラストの中に、リスト以外の文字が3つ含まれています。それは何でしょう？

月　日

リスト 跳・び・箱・体・操

```
　　　　　　　　　　　　　跳跳跳跳跳跳跳跳
　　　　　　　　　　　　跳跳跳跳跳跳跳跳跳跳
　　　　　　　　　　　跳跳跳跳跳跳跳跳跳跳跳跳
　　　　　　　　　　　跳跳跳跳跳跳　跳跳跳跳跳
　　　　　　　　　　跳跳跳跳　跳跳跳　跳跳跳跳
　　　　　　　　　　　　跳　　　　　　　跳跳跳
　　　　　　　　　　　　跳　跳　　跳　　跳跳跳
　　　　　　　　　　　　跳　跳　　跳　　跳　跳
　　　　　　　　　　　　跳　　　　　　　　　跳
　　　　　　　　　　　　跳　　体体　　　　跳跳
　　　　　　　　　　　　跳跳　　体　　　跳跳
　　　　　　　　　　　　　跳跳跳跳跳跳跳跳体
　　　　　　　　　　　　体体体　　　体体休体体
　　　　　　　　　　　　体体体体　体体体体体体
　　　　　　　　　　　体体体体体体体体体体体体体
　　　　　　　　　　　体体体体体体体体体体体体体
　　　　　　　　　　　　跳　跳体体体跳　跳体体
　　　　　　　　　　跳跳跳　跳体体体跳　跳体体跳跳
　　　　　　　跳跳跳跳跳跳　跳体体体跳　跳体跳跳跳跳跳
体体　　　跳跳跳　　跳跳跳　跳体体体跳　跳跳跳跳　　跳跳跳　　　体体
体体体体跳跳　　　　跳跳跳　跳跳跳跳跳　跳跳跳跳　　　　跳跳体体体体
体体体体　　　跳跳跳跳跳跳　跳跳跳跳跳　跳跳跳跳跳跳跳　　　体体体体
　体体体　跳跳跳　　　　跳　跳　　　跳　跳　　　　　跳跳跳　体体体
　　体体体跳　　　　　跳跳　跳跳　跳跳　跳跳　　　　　　跳体体体
　　　体体　　　　　　跳　　　跳　跳　　　跳　　　　　　　体体
　　　　　　　　　箱箱箱箱箱箱箱箱箱箱箱箱箱箱箱箱
　　　　　　　　箱箱　　　　　　　　　　箱　　　箱箱
　　　　　　　　箱　　　　　　　　　　　　箱　　　箱
　　　　　　　箱節箱箱箱箱箱箱箱箱箱箱箱箱箱箱箱箱箱箱
　　　　　　　箱びびびびびびびびびびびびび箱操操操操箱
　　　　　　　箱びびび箱箱箱箱箱びびびびび箱操操操操箱
　　　　　　箱箱びびび箱箱箱箱箱びびびびび箱箱操操操箱箱
　　　　　　箱びびびびびびびびびびびびびびび箱操操操操箱
　　　　　　箱び箱箱箱箱箱箱箱箱箱箱箱びびび箱操操操操箱
　　　　　箱箱箱箱箱箱箱箱箱箱箱箱箱箱箱箱箱箱箱箱箱箱箱箱
　　　　　箱びびびびびびびびびびびびびびびび箱操操操操操箱
　　　　　箱びびびびび箱箱箱箱箱びびびびびび箱操操操操操箱
　　　　箱箱びびびびび箱箱箱箱箱びびびびびび箱箱操操操操箱箱
　　　　箱びびびびびびびびびびびびびびびびびび箱操操操操操箱
　　　　箱びびび箱箱箱箱箱箱箱箱箱箱箱箱びびび箱操操操操操箱
　　　箱箱箱箱箱箱箱箱箱箱箱箱箱箱箱箱箱箱箱箱箱箱箱箱箱箱箱
　　　箱びびびびびびびびびびびびびびびびびびび箱操操操操採箱びびび
　　　箱びびびびびびび箱箱箱箱箱びびびびびびび箱操操操操操箱びびびび
　　箱箱びびびびびびび箱箱箱箱箱びびびびびびび箱操操操操操箱箱　びび
```

この解答は121ページ

パターン塗り絵

記号の入ったマスを【見本】のパターンで塗りつぶしたとき、現れるイラストは何でしょう？　見本のパターンをすべて使用しない場合もあります。

月　日

0	0	0	0	0	0	0	5	0	5	9	0	5	0	0
0	0	0	0	0	0	0	3	9	4	F	2	F	7	0
0	5	0	E	6	0	0	F	F	9	7	F	F	F	0
0	3	4	1	4	E	0	F	F	F	3	F	F	F	0
0	D	A	7	E	3	0	F	F	7	E	F	F	F	0
0	7	0	4	1	3	0	3	F	7	F	F	F	7	0
0	9	0	E	0	E	0	0	B	9	4	F	B	0	5
0	A	9	9	E	1	5	0	0	0	F	0	0	5	F
4	6	0	F	0	0	3	9	0	0	F	0	E	F	F
3	9	0	F	0	3	3	F	6	0	F	3	F	F	7
3	F	6	F	0	F	3	F	F	6	7	F	F	F	1
3	F	7	F	3	F	0	F	F	9	2	F	F	D	0
0	F	F	3	F	D	0	4	F	F	3	F	F	1	0
0	4	F	7	F	1	0	A	F	F	F	F	D	0	6
8	8	4	F	2	8	8	8	8	B	F	B	8	E	9

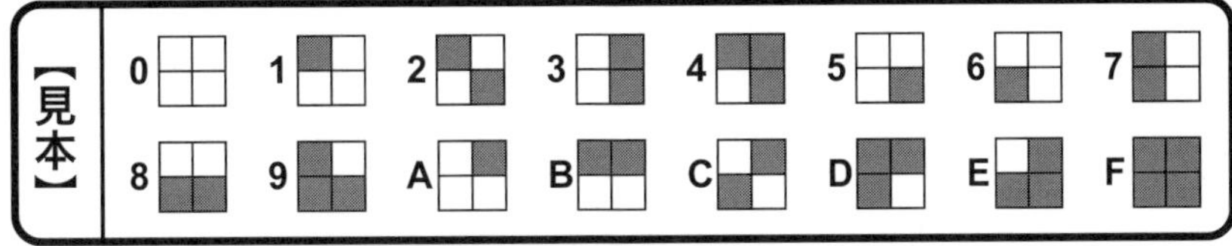

この解答は121ページ

70 お絵かきパズル

ルールに従ってマスを塗ると何が現れるでしょう？
リストの①～③の中から選んでください。

月　日

お絵かきの基本ルール3項目

- ◆タテ・ヨコの数字は、その列の中で連続して塗るマスの数
- ◆同じ列に複数の数字があるときは、その並びどおりにマスを塗る
- ◆数字と数字の間は必ず１マス以上空ける

タテの数字（左の列から）

1	2	3	4	5	6	7	8	9	10	11	12	13	14	15	16	17	18	19	20	21	22	23	24	25
				2																				
		1	3	1																				
	3	2	1	1	4〇			2	5				1〇											
	4	8	2	1	9〇	4	4	2	7	8〇			15〇	2		3	3	3	3	3				
3	3	2	2	5	4〇	1	1	1	3	11〇	8〇	6	1〇	9	3	2	1	2	1	2	3			
4	2	3	1	1	2〇	13	4	7	3	2〇	14〇	15	3〇	2	13	9	9	9	9	7	7	3	3	3
2	2	2	2	2	2〇	2	2	1	1	1〇	1〇	1	1〇	2	1	2	2	3	2	4	6	14	10	7

ヨコの数字（上の行から）

行	数字
1	3〇 8〇 12〇
2	2〇 10〇 11〇
3	2〇 1〇 3〇 5〇 10〇
4	12
5	2 6
6	1 3 5
7	1 1 6
8	2 1 3 4
9	8 7
10	1 2 7 3
11	1 2 8 2
12	1 2 11 2
13	1 2 15
14	1 2 15
15	2 2 4 10
16	11 10
17	3〇 10〇 10〇
18	3〇 9〇 7〇 3〇
19	2〇 4〇 1〇 11〇 3〇
20	1 3 1 1 3 3 4
21	2 2 2 4 5
22	5 7 6
23	5 7
24	8 4 3
25	14 2

リスト

①カバ　②セイウチ　③イルカ

解き方ナビ

①②③ … ○が付いている数字は確定できる部分です。

71

この解答は121ページ

ナンプレ

タテ9列、ヨコ9列と、太線で囲まれた9個のブロックにはそれぞれ1～9の数字が必ず一つずつ入ります。すべての空きマスに数字を入れてください。

月　日

問題1

9								6
		5		7		4		
	3		9		6		8	
	1						3	
7	9			3			2	1
	2	4		6		8	5	
		9	8		3	1		
	5		6		1		9	
2	8			9			6	3

問題2

6			5	9				
8		9		1			3	
	2		7		6			4
	3	6			8	2		5
		4				3		
1		2	6			4	9	
2			8		4		6	
	6			2		8		9
				6	7			3

この解答は121ページ

不等号ナンプレ

タテ列とヨコ列にはマスの個数分の数字が一つずつ入ります。各マスの間の不等号は隣り合ったマスに入る数字の大小をあらわします。すべての空きマスに数字を入れてください。

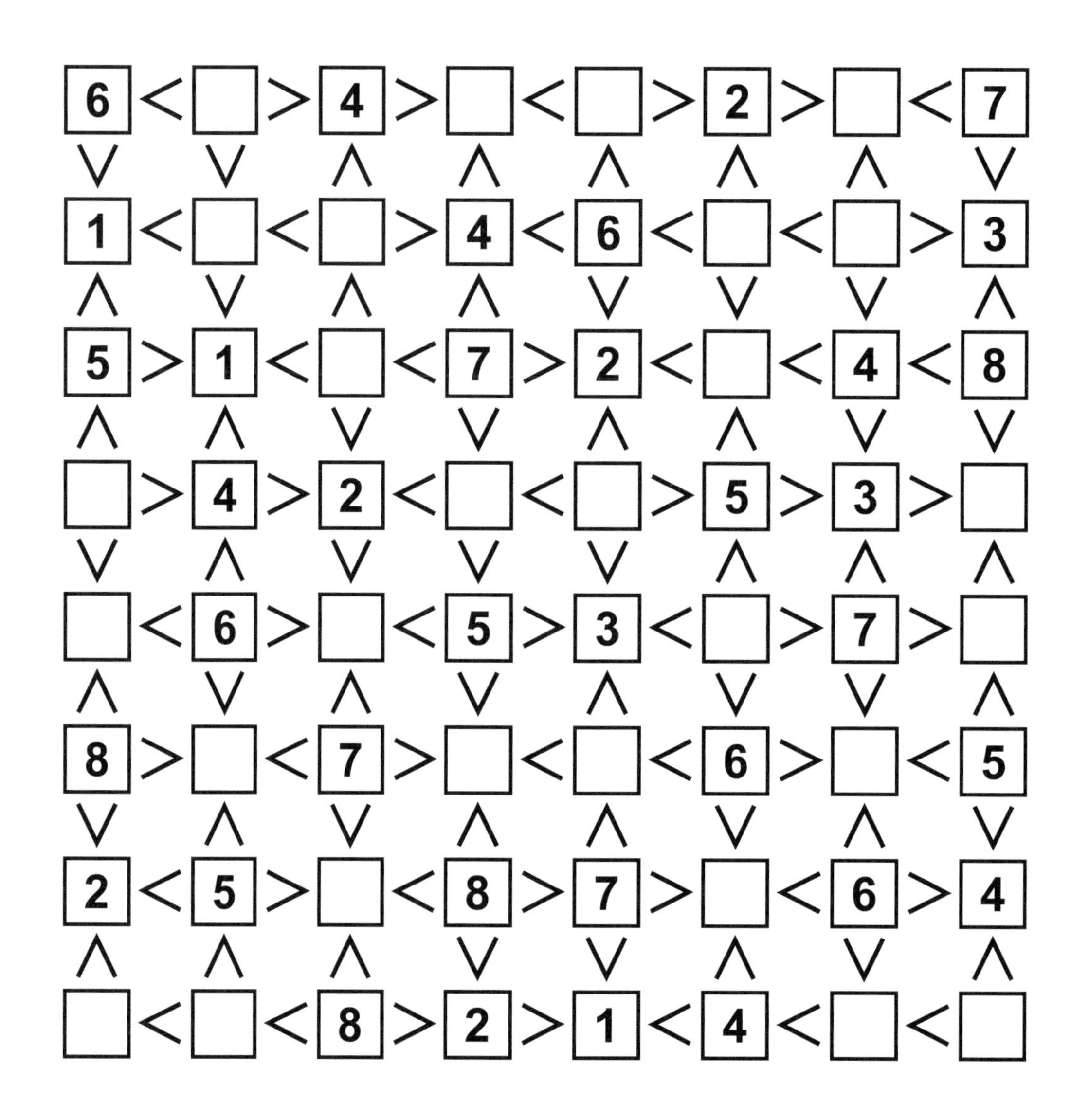

6	<		>	4	>		<		>	2	>		<	7
∨		∨		∧		∧		∧		∧		∧		∨
1	<		<		>	4	<	6	<		<		>	3
∧		∨		∧		∧		∨		∨		∨		∧
5	>	1	<		<	7	>	2	<		<	4	<	8
∧		∧		∨		∨		∧		∧		∨		∨
	>	4	>	2	<		<		>	5	>	3	>	
∨		∧		∨		∨		∨		∧		∧		∧
	<	6	>		<	5	>	3	<		>	7	>	
∧		∨		∧		∨		∧		∨		∨		∧
8	>		<	7	>		<		<	6	>		<	5
∨		∧		∨		∧		∧		∨		∧		∨
2	<	5	>		<	8	>	7	>		<	6	>	4
∧		∧		∧		∨		∨		∧		∨		∧
	<		<	8	>	2	>	1	<	4	<		<	

月　日

この解答は122ページ

四角に区切ろう

数字とマスの数が同じになるように、盤面を四角（正方形または長方形）に切り分けてください。どの四角にも数字は必ず一つずつ含まれます。

				9							
	5									14	
7									5		
			8								6
				3							
									10		
	9							15			8
				6							
		6									
			3		4					9	
4							8				
				5							

74 同じ数つなぎ

この解答は122ページ

同じ数字を線でつないでください。線は、他の線や数字の上を通過することはできません。

問題1

	3				2		9	6		8	
	4		9					7		1	
								6			
		2	7	4		5					
						1				5	
				3					8		

問題2

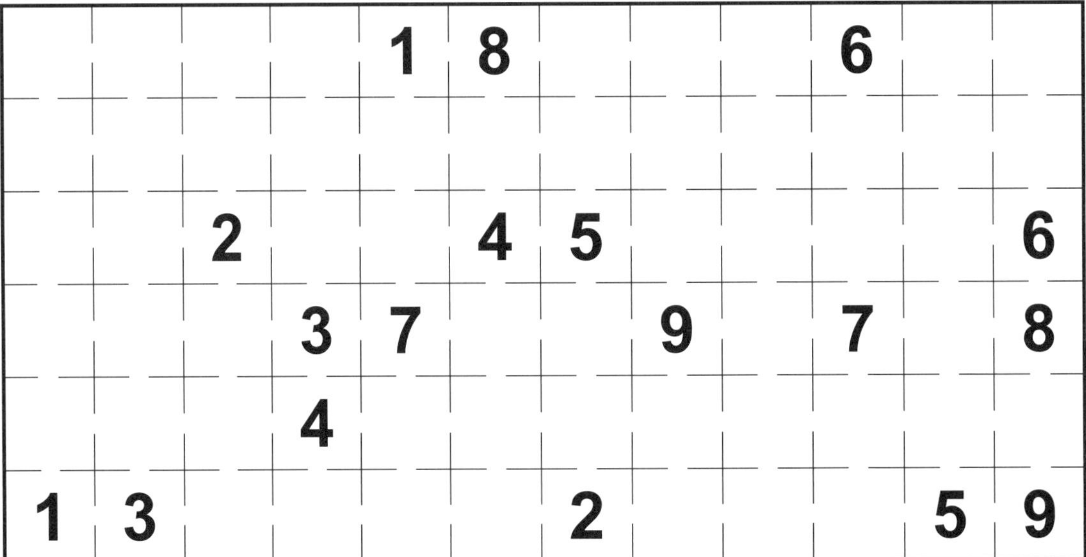

				1	8				6		
		2			4	5					6
			3	7			9		7		8
			4								
1	3					2				5	9

この解答は122ページ

スケルトン

□月□日

すでに入っている「自治会」のように、マス目の数と同じ文字数の言葉を〈リスト〉から選び、当てはめてください。最後に、〈リスト〉に残る言葉を答えてください。

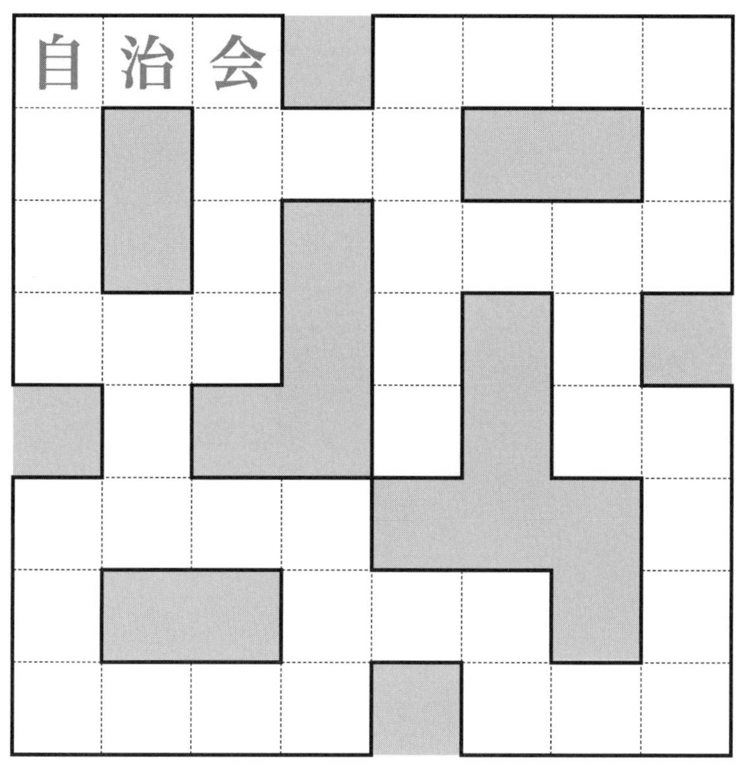

解答

〈リスト〉

2文字
- □ 会食
- □ 家屋

3文字
- □ 計算機
- □ 子供会
- □ 御法度
- □ 作詞家
- □ 自然体
- ☑ 自治会
- □ 食文化
- □ 電子化
- □ 法律家
- □ 本採用

4文字
- □ 屋上緑化
- □ 会計年度
- □ 化学作用
- □ 自家発電
- □ 自動制御
- □ 体色変化
- □ 本家本元
- □ 有形資本

5文字
- □ 有機化合物

この解答は122ページ

漢字読みアロー（演劇）

✎ 月 日

マスに入っている漢字もしくは熟語の読みを、矢印が示すところに入れてください。タテに入る言葉は上から下、ヨコに入る言葉は左から右に入ります。最後にA～Eの文字を並べてできる言葉を答えてください。

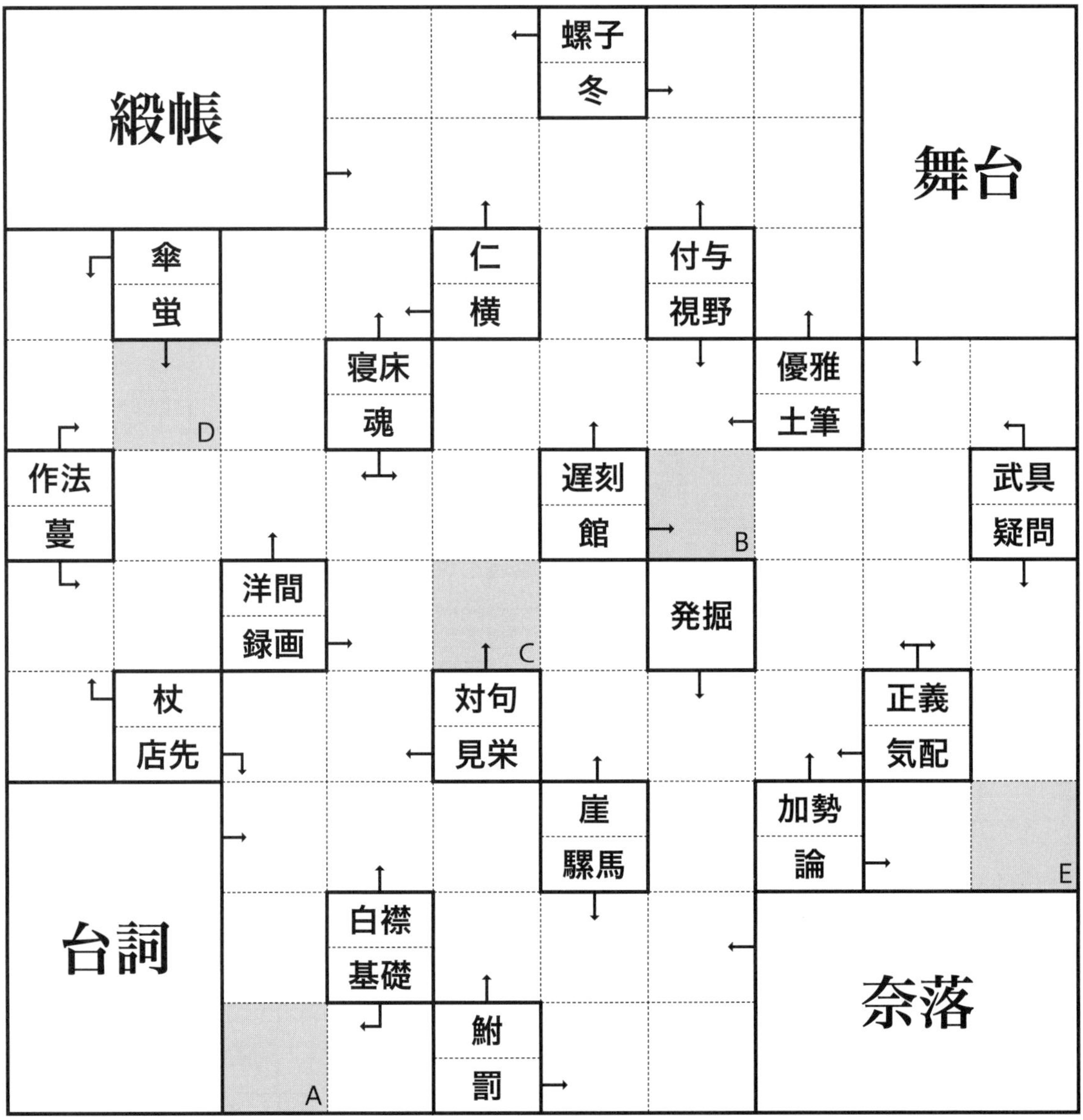

緞帳　螺子　冬　舞台

傘　蛍　仁　横　付与　視野

寝床　魂　優雅　土筆

作法　蔓　遅刻　館　武具　疑問

D　B

洋間　録画　発掘

C

杖　店先　対句　見栄　正義　気配

崖　驟馬　加勢　論

E

台詞　白襟　基礎　奈落

鮒　罰

A

解答	A	B	C	D	E

この解答は122ページ

言葉さがし

〈リスト〉の事務用品をすべて一直線上に見つけてください。※小さい「ッ」や「ャ」なども大きな文字として扱います。

月　日

ー	バ	カ	ム	ー	ア	キ	リ
ン	タ	シ	タ	ツ	エ	ー	ル
ペ	ー	ツ	バ	イ	ン	ダ	ー
ル	カ	ン	セ	ン	ビ	ウ	ス
ー	シ	ウ	ト	ン	ン	ト	キ
ボ	ユ	セ	ノ	ウ	セ	ウ	チ
シ	ニ	プ	ツ	リ	ク	フ	ツ
リ	ク	デ	ン	ピ	ヨ	ウ	ホ

〈リスト〉

- □アームカバー
- □カッター
- □クリップ
- □シール
- □シュウセイエキ（修正液）
- □シュニク（朱肉）
- □デンピョウ（伝票）
- □ノリ（糊）
- □バインダー
- □ビンセン（便箋）
- □フウトウ（封筒）
- □フセン（付箋）
- □ボールペン
- □ホッチキス

この解答は122ページ

点つなぎ迷路

月　日

☆から★まで順に点をつなぐと、迷路があらわれます。スタートからゴールまで迷わずに進んだとき、通ったヒヨコは何羽いたでしょう？

スタート

ゴール

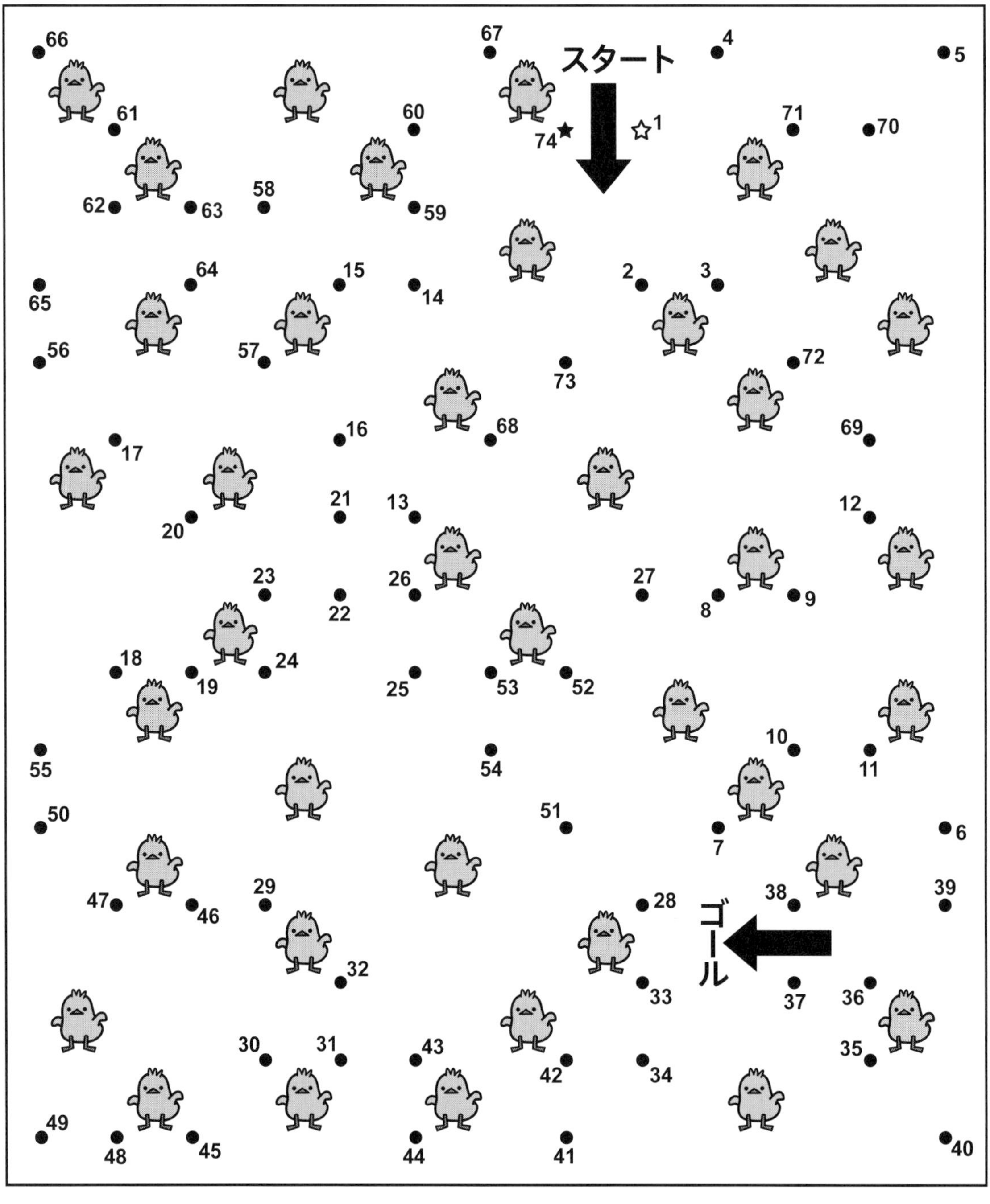

月　日

この解答は123ページ

ナンプレ

タテ９列、ヨコ９列と、太線で囲まれた９個のブロックにはそれぞれ１～９の数字が必ず一つずつ入ります。すべての空きマスに数字を入れてください。

問題１

3	7						1	8
	6			5			7	
		2	7		8	9		
8		1	6		5	3		2
	3			1			5	
				4				
4	1						2	5
6		9				7		4
		7	4	8	3	1		

問題２

	9	6	2				5	
4		2			6	1		
					9		6	7
	5	4		9	7		2	
		8				4		
	2		1	6		8	7	
2	8		9					
		9	6			5		8
	6				1	9	3	

□月□日

この解答は123ページ

不等号ナンプレ

タテ列とヨコ列にはマスの個数分の数字が一つずつ入ります。各マスの間の不等号は隣り合ったマスに入る数字の大小をあらわします。すべての空きマスに数字を入れてください。

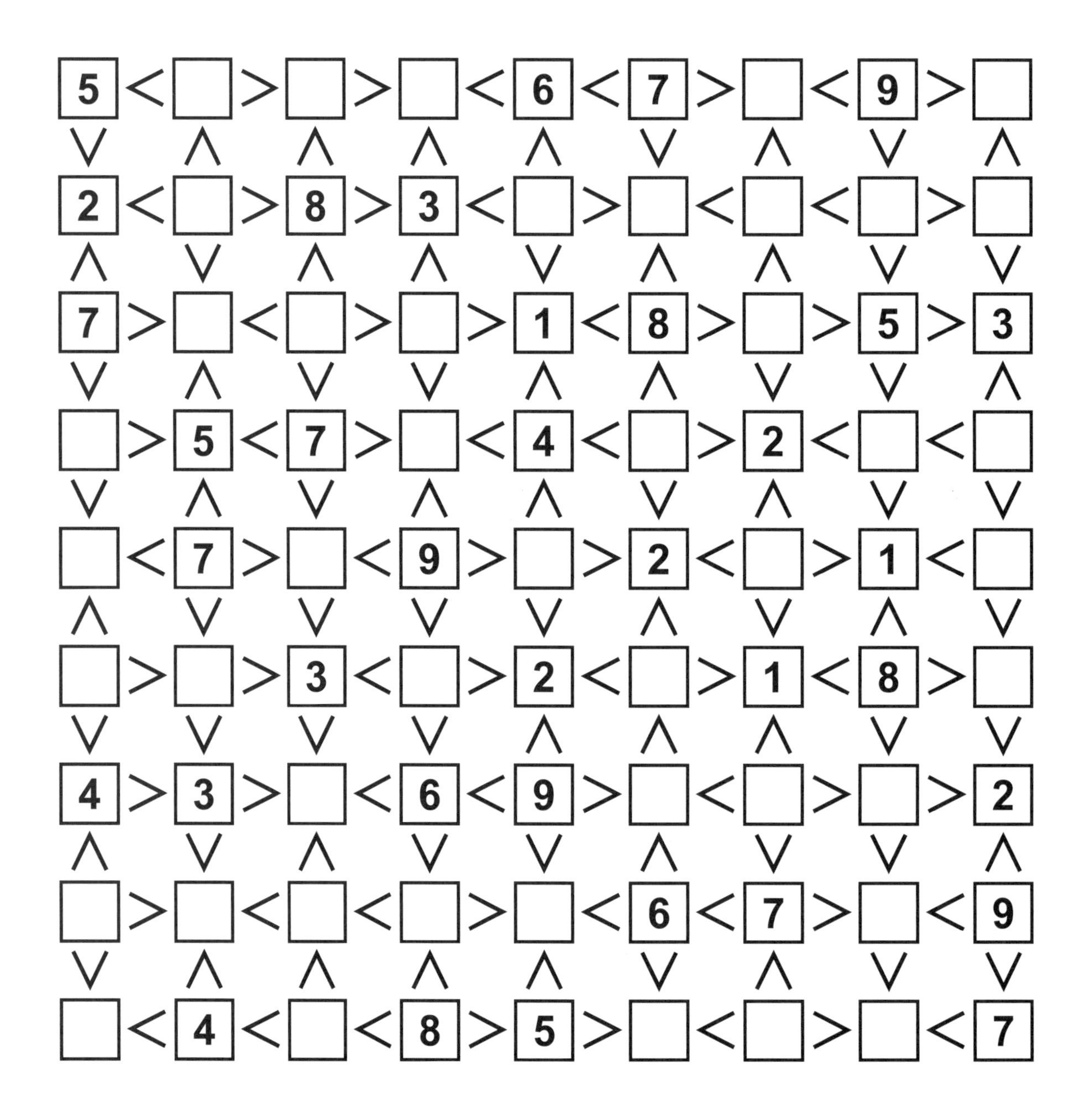

5	<		>		>		<	6	<	7	>		<	9	>	
∨		∧		∧		∧		∧		∨		∧		∨		∧
2	<		>	8	>	3	<		>		<		<		>	
∧		∨		∧		∧		∨		∧		∧		∨		∨
7	>		<		>		>	1	<	8	>		>	5	>	3
∨		∧		∨		∨		∧		∧		∨		∨		∧
	>	5	<	7	>		<	4	<		>	2	<		<	
∨		∧		∨		∧		∧		∨		∧		∨		∨
	<	7	>		<	9	>		>	2	<		>	1	<	
∧		∨		∨		∨		∨		∧		∨		∧		∨
	>		>	3	<		>	2	<		>	1	<	8	>	
∨		∨		∨		∨		∧		∧		∧		∨		∨
4	>	3	>		<	6	<	9	>		<		>		>	2
∧		∨		∧		∨		∨		∧		∨		∨		∧
	>		<		<		>		<	6	<	7	>		<	9
∨		∧		∧		∧		∧		∨		∧		∨		∨
	<	4	<		<	8	>	5	>		<		>		<	7

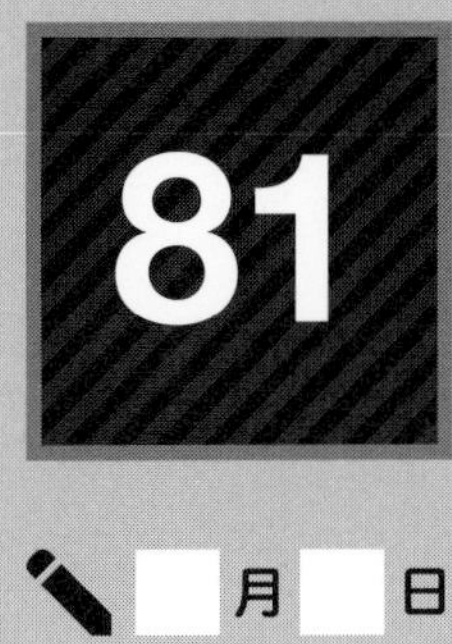

この解答は123ページ

四角に区切ろう

数字とマスの数が同じになるように、盤面を四角（正方形または長方形）に切り分けてください。どの四角にも数字は必ず一つずつ含まれます。

月　日

		4				6					
					4				5		
	9									4	
				8				6			
	7										5
6			8								
									10		
5					9						
		7									
	4						6		6		
				4							5
			8			8					

この解答は123ページ

同じ数つなぎ

同じ数字を線でつないでください。線は、他の線や数字の上を通過することはできません。

月　日

問題1

				3		8		9	6		
								2			
3											
				7	4		1	5			
8	4			5	9				1		
7								2			6

問題2

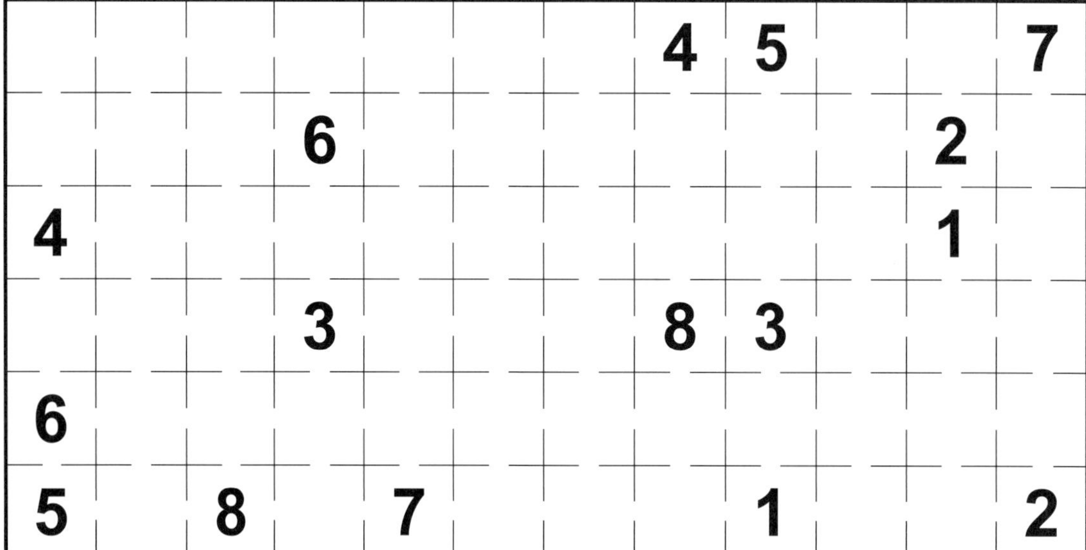

この解答は123ページ

スケルトン

マス目の数と同じ文字数の言葉を〈リスト〉から選び、当てはめてください。最後に、〈リスト〉に残る言葉を答えてください。

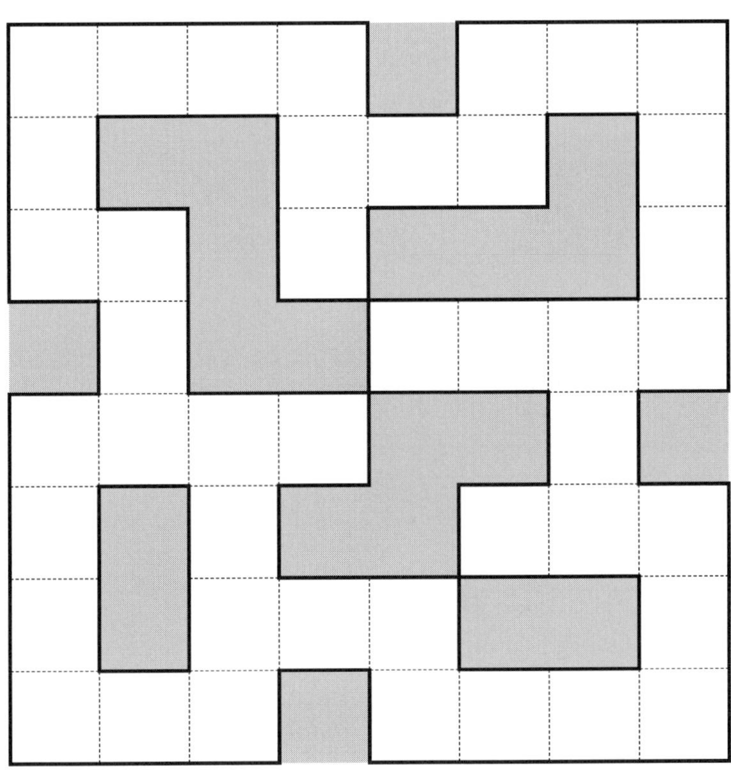

解答

〈リスト〉

2文字
□塩水
□力水
□滑子

3文字
□滑走路
□権利金
□司法権
□水面下
□水菓子
□千人力
□天日塩
□報奨金
□明太子
□用字法
□用水路

4文字
□一刻千金
□自家用車
□水道料金
□天下一品
□天気予報
□天地無用
□路面電車

✎ 月 日

この解答は123ページ

漢字読みアロー（薬味）

マスに入っている漢字もしくは熟語の読みを、矢印が示すところに入れてください。タテに入る言葉は上から下、ヨコに入る言葉は左から右に入ります。最後にA～Eの文字を並べてできる言葉を答えてください。

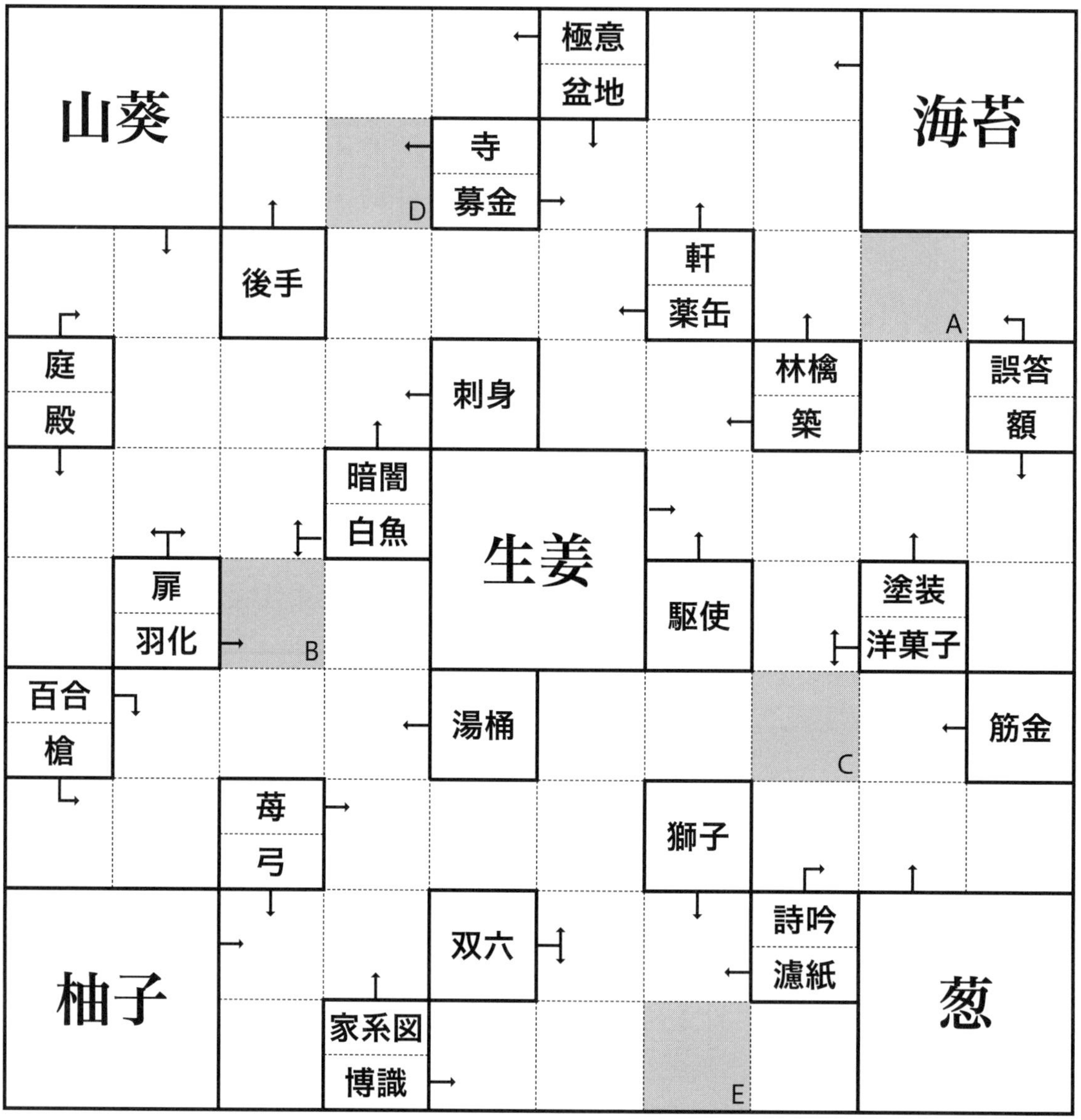

山葵　極意　盆地　海苔

寺　募金　D

後手　軒　薬缶　A

庭　殿　刺身　林檎　築　誤答　額

暗闇　白魚　生姜

扉　羽化　B　駆使　塗装　洋菓子

百合　槍　湯桶　C　筋金

苺　弓　獅子

柚子　双六　詩吟　濾紙　葱

家系図　博識　E

解答	A	B	C	D	E

この解答は124ページ

言葉さがし

〈リスト〉の部活動をすべて一直線上に見つけてください。※小さい「ッ」や「ャ」なども大きな文字として扱います。

シ	ヤ	シ	ン	ー	カ	ツ	サ
ゲ	キ	ク	ガ	ウ	ソ	イ	ス
ル	ユ	ゲ	サ	グ	ド	ウ	モ
ー	ウ	ド	ン	ウ	ホ	ヨ	ウ
ボ	ウ	リ	イ	エ	ウ	ジ	シ
ー	ス	ニ	テ	ソ	ソ	ク	ダ
レ	イ	ソ	イ	ス	ウ	リ	ン
バ	ゴ	タ	ツ	キ	ユ	ウ	ス

〈リスト〉

□イゴ（囲碁）
□エンゲキ（演劇）
□サッカー
□サドウ（茶道）
□シャシン（写真）
□ショドウ（書道）
□スイソウガク（吹奏楽）
□スモウ（相撲）
□タイソウ（体操）
□タッキュウ（卓球）
□ダンス
□テニス
□バレーボール
□ホウソウ（放送）
□ヤキュウ（野球）
□リクジョウ（陸上）
□レスリング

この解答は124ページ

熟語点つなぎ

☆から★まで順に点をつなぐと、漢字２文字の熟語があらわれます。その読みを答えてください。

月　日

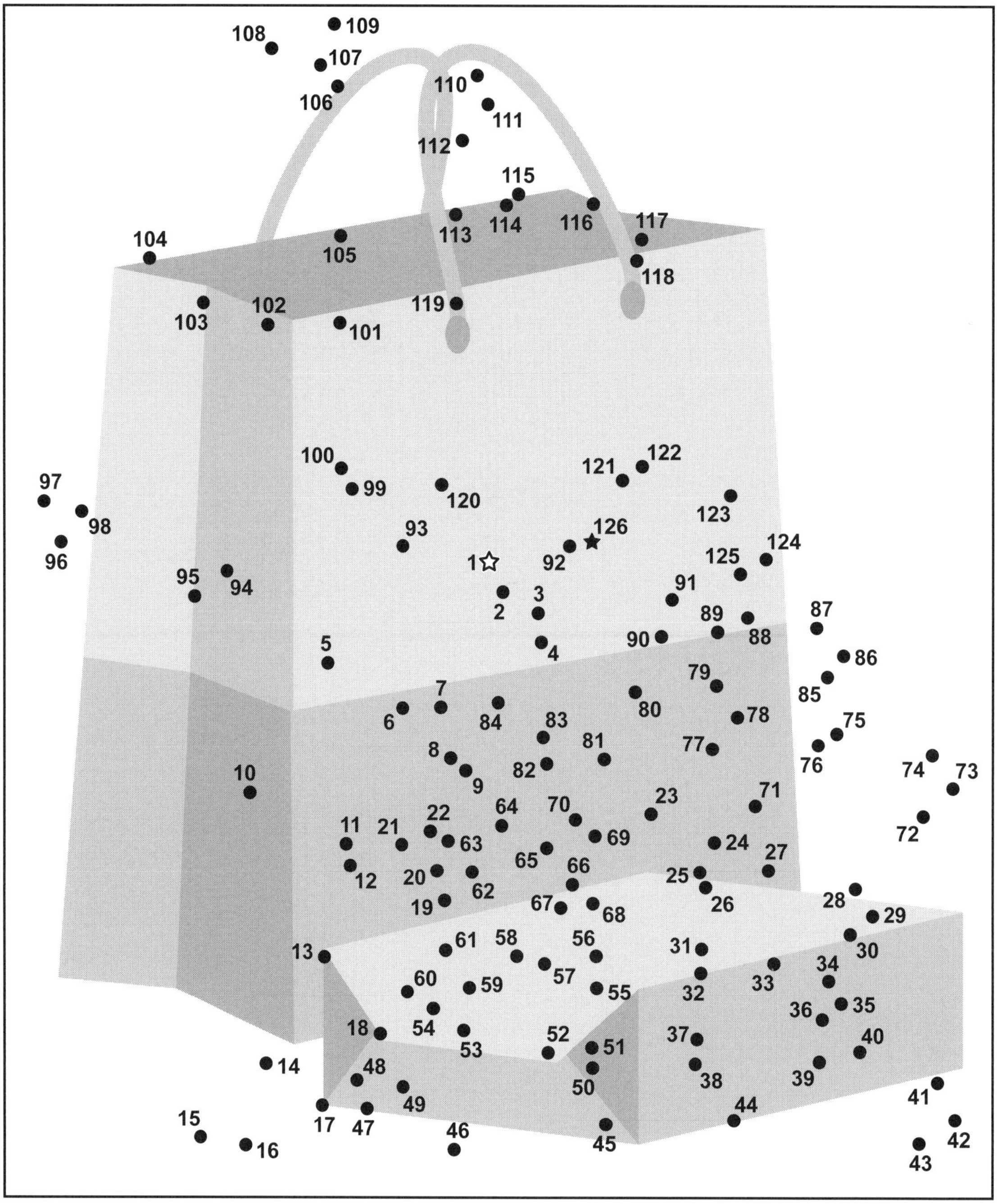

この解答は124ページ

ナンプレ

タテ９列、ヨコ９列と、太線で囲まれた９個のブロックにはそれぞれ１～９の数字が必ず一つずつ入ります。すべての空きマスに数字を入れてください。

□月□日

問題1

		4		6		9		
8			2		7			3
	6	7				4	2	
1		8				2		5
		3		5		8		
4	5			8			3	7
			8	1	5			
	8	9				5	1	
6		5				3		2

問題2

8	3		6		5	9		
		4					2	
			7	4		6		3
6	2			9	1	5		
	8						7	
		9	5	8			6	1
1		6		2	8			
	5					8		
		8	3		6		1	2

この解答は124ページ

スケルトン

マス目の数と同じ文字数の熟語を〈リスト〉から選び、当てはめてください。最後に、〈リスト〉に残る熟語を答えてください。

月　日

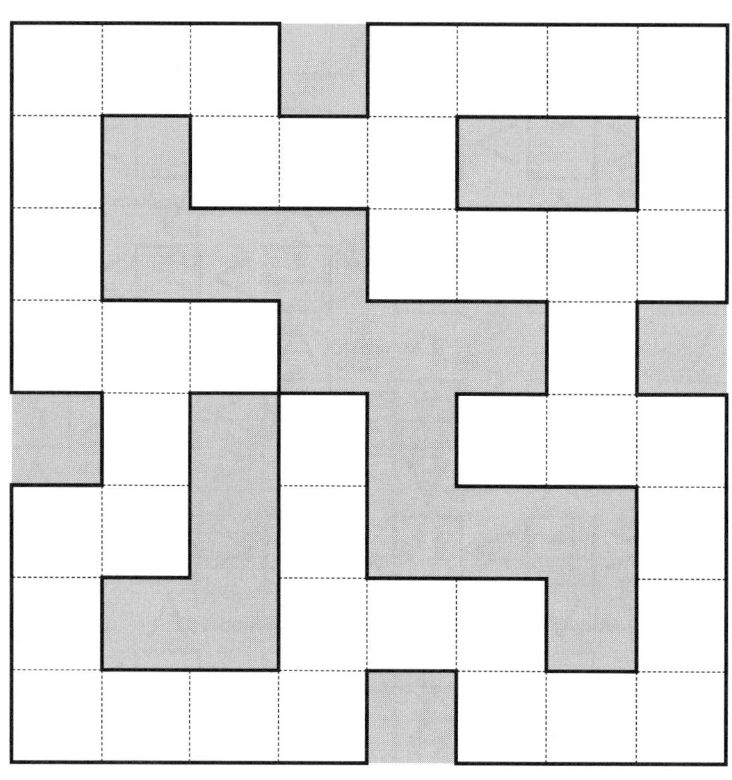

解答

〈リスト〉

2文字
- □学会
- □転居
- □転生

3文字
- □会計学
- □月曜日
- □化楽天
- □生物学
- □大回転
- □大学生
- □旅芝居
- □旅日記
- □転校生
- □分類学
- □楽隠居
- □両三日

4文字
- □大型車両
- □記録文学
- □水平分力
- □生活能力
- □生年月日
- □大衆文化

この解答は124ページ

漢字読みアロー（布製品）

月　日

マスに入っている漢字もしくは熟語の読みを、矢印が示すところに入れてください。タテに入る言葉は上から下、ヨコに入る言葉は左から右に入ります。最後にA～Eの文字を並べてできる言葉を答えてください。

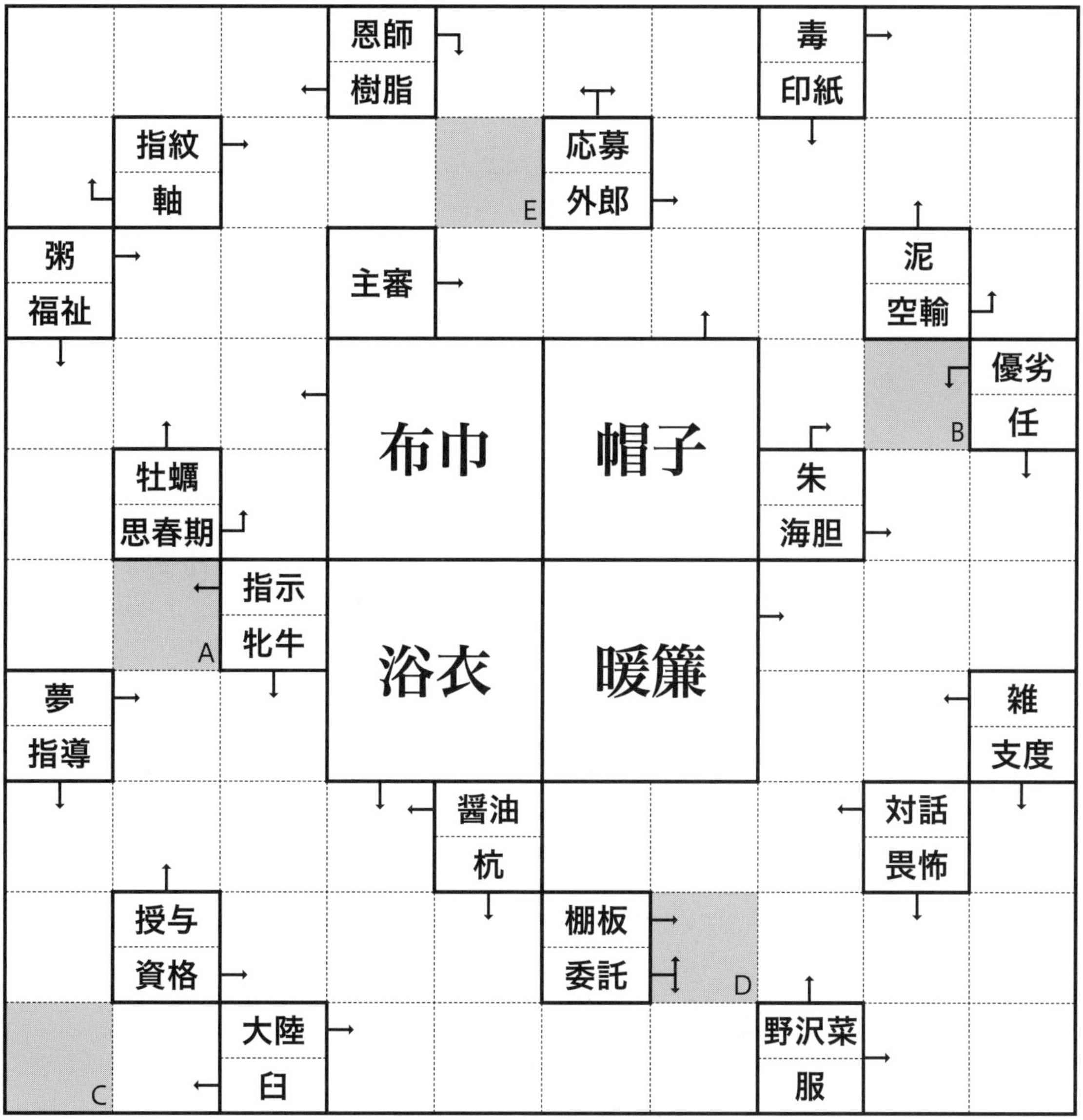

恩師
樹脂
毒
印紙
指紋
軸
応募
外郎
E
粥
福祉
主審
泥
空輸
優劣
任
B
布巾
帽子
牡蠣
思春期
朱
海胆
指示
牝牛
A
浴衣
暖簾
夢
指導
雑
支度
醤油
杭
対話
畏怖
授与
資格
棚板
委託
D
大陸
臼
野沢菜
服
C

解答

A	B	C	D	E

この解答は124ページ

言葉さがし

〈リスト〉の家電をすべて一直線上に見つけてください。

デ	ミ	キ	サ	ー	ス	イ	ト
ン	ミ	シ	ド	ラ	イ	ヤ	ー
キ	ク	タ	ン	セ	ハ	ー	タ
ケ	ジ	ン	レ	シ	ン	デ	ス
ト	ン	ロ	イ	オ	キ	レ	ー
ル	コ	イ	ゾ	ジ	オ	ビ	ト
ン	ア	ア	ウ	ラ	ビ	レ	テ
ア	エ	ソ	コ	カ	シ	ツ	キ

〈リスト〉

□アイロン
□エアコン
□カシツキ（加湿器）
□スイハンキ（炊飯器）
□センタクキ（洗濯機）
□ソウジキ（掃除機）
□テレビ
□デンキケトル（電気ケトル）
□デンシレンジ（電子レンジ）
□トースター
□ドライヤー
□ミキサー
□ミシン
□ラジオ
□レイゾウコ（冷蔵庫）

この解答は125ページ

点つなぎ迷路

月　日

☆から★まで順に点をつなぐと、迷路があらわれます。スタートからゴールまで迷わずに進んだとき、通った本は何冊あったでしょう？

スタート

ゴール

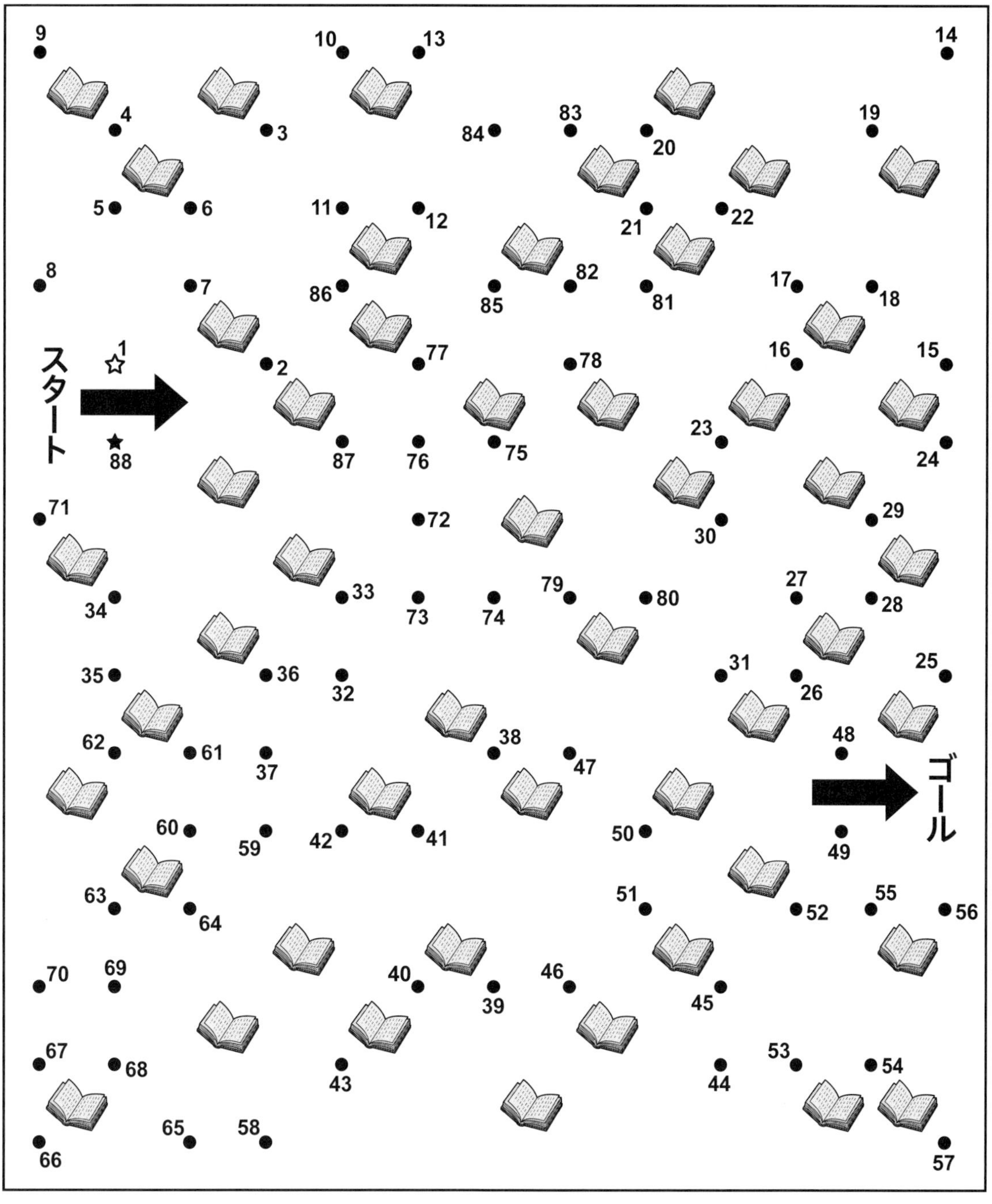

この解答は125ページ

ナンプレ

✎ 月 日

タテ９列、ヨコ９列と、太線で囲まれた９個のブロックにはそれぞれ１～９の数字が必ず一つずつ入ります。すべての空きマスに数字を入れてください。

問題1

6	5			4			1	9
			3		8			
		9				2		
			2		6			
	1		4		9		3	
		7				4		
5		6		8		9		3
3	9						4	8
		4	9		5	7		

問題2

		6	7		3	8		
	1			2				
		7	1		6		4	2
2			8				1	
4								5
	5				4			6
3	9		2		1	7		
				5			2	
		2	3		7	9		

この解答は125ページ

スケルトン

マス目の数と同じ文字数の熟語を〈リスト〉から選び、当てはめてください。最後に、〈リスト〉に残る熟語を答えてください。

月　日

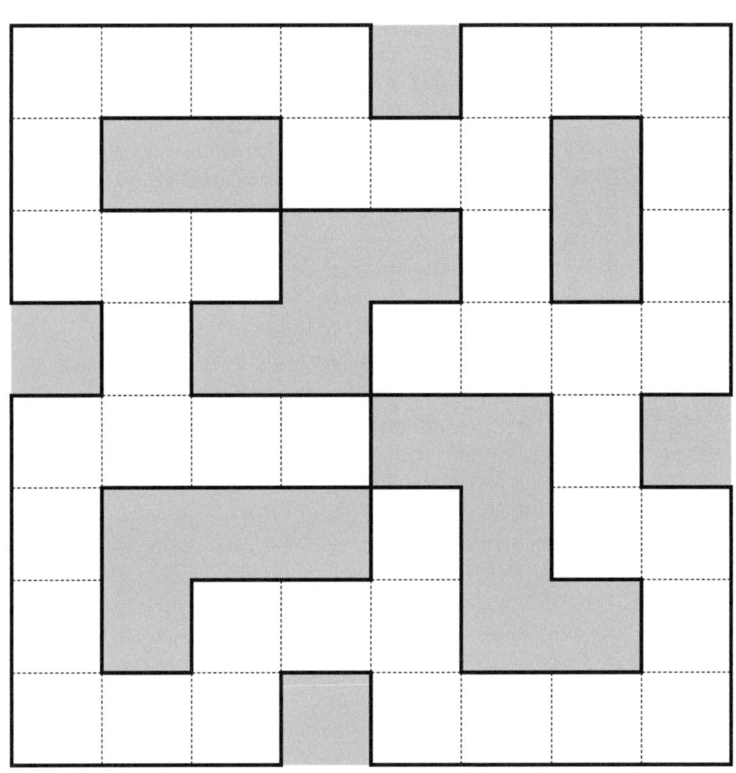

解答

〈リスト〉

2文字
- □感動
- □言行
- □絶版

3文字
- □期待感
- □行商人
- □限定版
- □車内灯
- □充実感
- □人力車
- □絶縁物
- □動植物
- □動物園
- □内祝言
- □有名人

4文字
- □園芸作物
- □試行期間
- □人権宣言
- □人造人間
- □有言実行
- □有効期限
- □有人飛行

この解答は125ページ

漢字読みアロー（掃除）

✎ 月 日

マスに入っている漢字もしくは熟語の読みを、矢印が示すところに入れてください。タテに入る言葉は上から下、ヨコに入る言葉は左から右に入ります。最後にA～Eの文字を並べてできる言葉を答えてください。

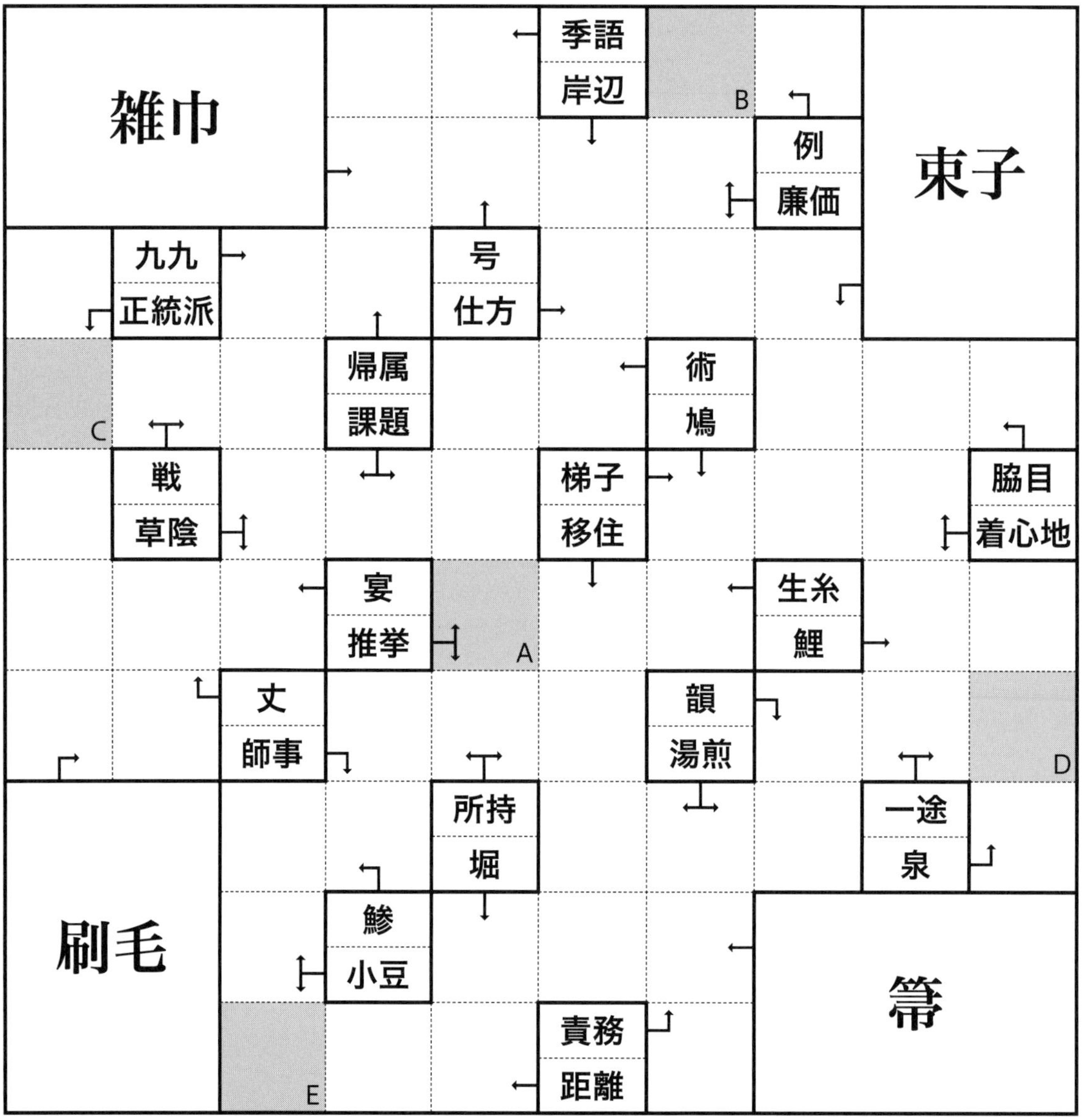

雑巾　季語　岸辺　B　束子
例　廉価
九九　正統派　号　仕方
C　帰属　課題　術　鳩
戦　草陰　梯子　移住　脇目　着心地
宴　推挙　A　生糸　鯉
丈　師事　韻　湯煎　D
刷毛　所持　堀　一途　泉
鯵　小豆　箒
E　責務　距離

解答

A	B	C	D	E

この解答は125ページ

言葉さがし

〈リスト〉の魚介をすべて一直線上に見つけてください。

ニ	ウ	ナ	ギ	ト	ト	コ	タ
ハ	ニ	ウ	キ	サ	ラ	ム	グ
マ	マ	ガ	イ	サ	イ	フ	ロ
グ	ダ	ニ	バ	ハ	ガ	イ	グ
リ	セ	イ	ハ	ラ	テ	タ	マ
ア	ア	セ	ケ	タ	タ	カ	オ
ザ	ワ	エ	ザ	サ	ホ	ツ	ツ
サ	エ	ビ	ワ	サ	カ	イ	ガ

〈リスト〉

- □アワビ
- □イカ
- □イセエビ（伊勢海老）
- □ウナギ
- □カツオ
- □サケ（鮭）
- □サザエ
- □サバ
- □タコ
- □タラバガニ
- □トラフグ
- □ハマグリ
- □ホタテガイ
- □マグロ
- □マダイ（真鯛）
- □ムラサキウニ

この解答は125ページ

熟語点つなぎ

☆から★まで順に点をつなぐと、漢字2文字の熟語があらわれます。その読みを答えてください。

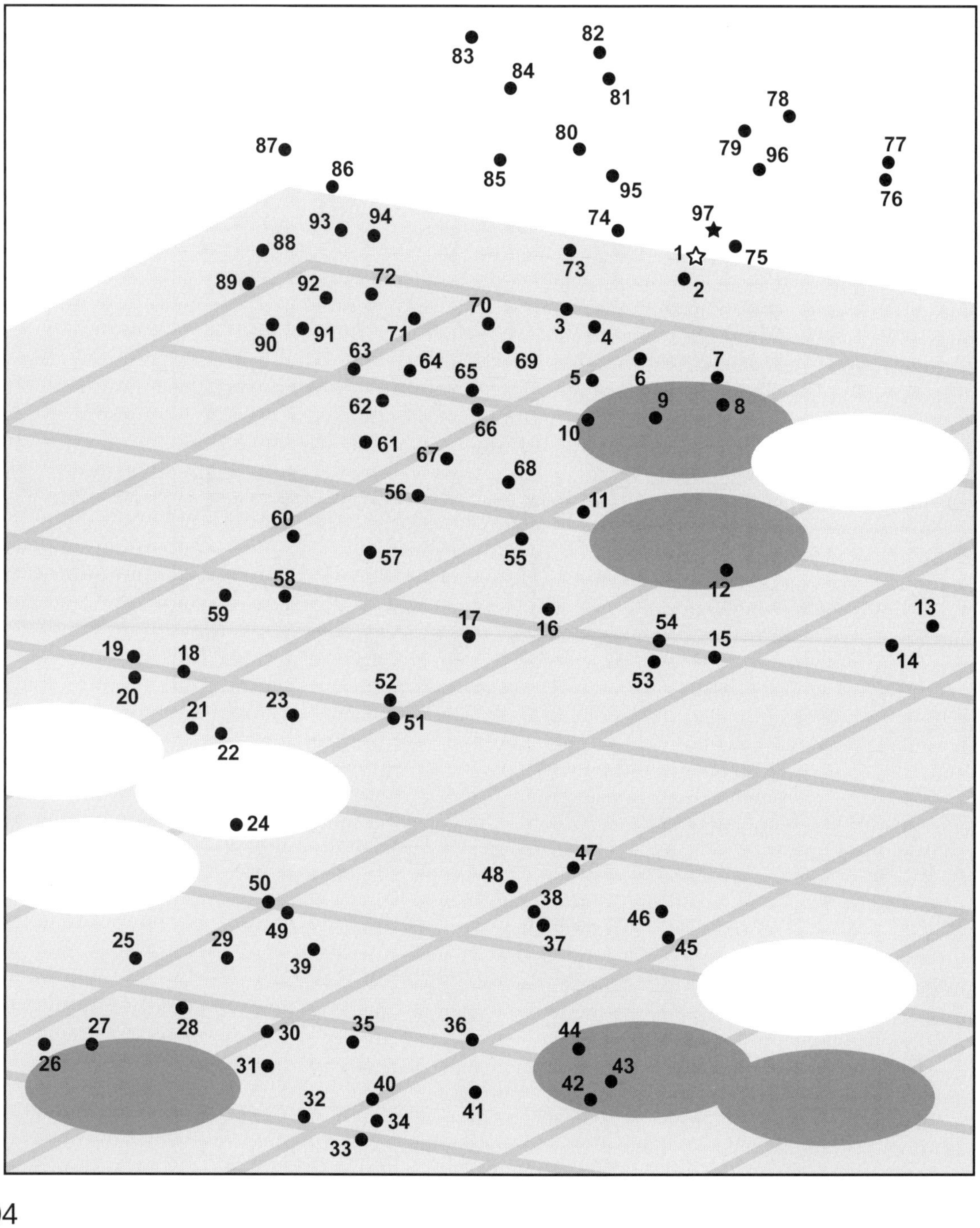

この解答は126ページ

スケルトン

マス目の数と同じ文字数の熟語を〈リスト〉から選び、当てはめてください。最後に、〈リスト〉に残る熟語を答えてください。

月　日

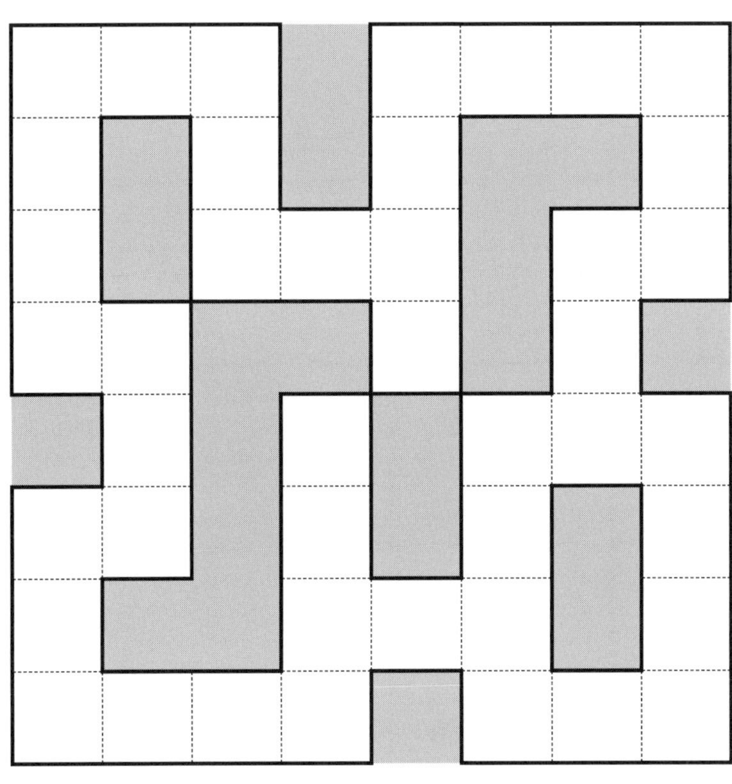

解答

〈リスト〉

2文字
□名品
□体表
□体力

3文字
□遠心力
□表街道
□市街地
□自己中
□市販品
□体験談
□中核市
□中心地
□表現力
□未開発
□名誉心

4文字
□自治団体
□前人未発
□談論風発
□地下鉄道
□地産地消
□地方都市
□中間発表

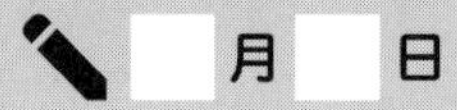

この解答は126ページ

漢字読みアロー(大工道具)

マスに入っている漢字もしくは熟語の読みを、矢印が示すところに入れてください。タテに入る言葉は上から下、ヨコに入る言葉は左から右に入ります。最後にA～Eの文字を並べてできる言葉を答えてください。

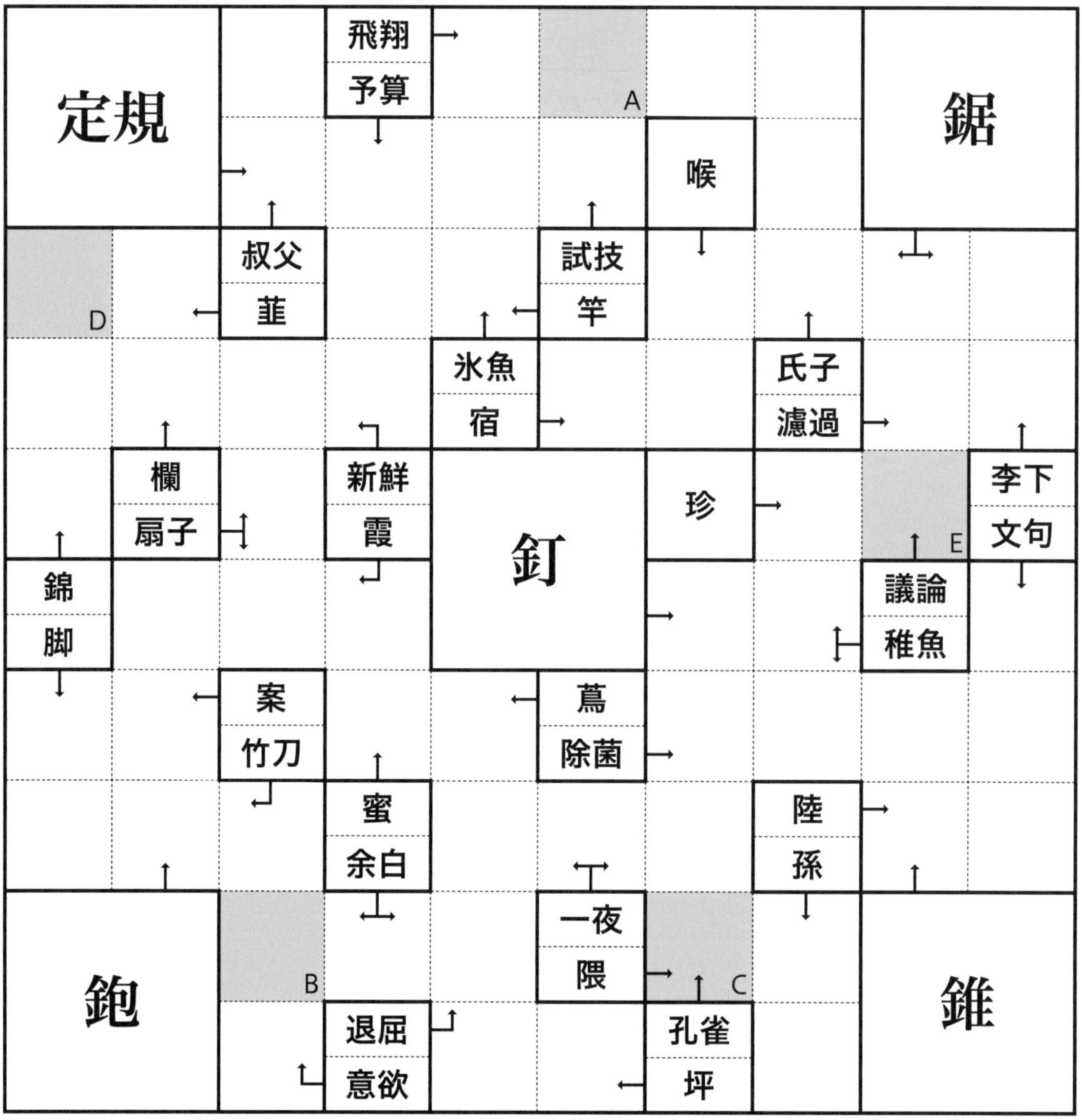

定規			飛翔／予算		A			鋸	
						喉			
D		叔父／韮			試技／竿				
				氷魚／宿			氏子／濾過		
	欄／扇子		新鮮／霞	釘		珍		E	李下／文句
錦／脚								議論／稚魚	
		案／竹刀			蔦／除菌				
			蜜／余白				陸／孫		
鉋		B			一夜／隈	C		錐	
			退屈／意欲			孔雀／坪			

解答

A	B	C	D	E

この解答は126ページ

言葉さがし

〈リスト〉の職業をすべて一直線上に見つけてください。※小さい「ッ」や「ャ」なども大きな文字として扱います。

月　日

カ	ジ	イ	セ	ン	ジ	シ	ケ
ユ	シ	ヤ	イ	シ	ワ	ニ	イ
シ	ウ	ウ	ー	ア	ゴ	ワ	サ
カ	ヨ	シ	ツ	ナ	ベ	ン	ツ
キ	ビ	ウ	ゴ	ウ	リ	カ	カ
ゴ	ヤ	ツ	ダ	ン	ガ	ス	ン
ク	セ	イ	ジ	サ	ベ	イ	ト
ラ	ク	ゴ	カ	ー	マ	リ	ト

〈リスト〉

□アナウンサー
□ガカ（画家）
□カシュ（歌手）
□カンゴシ（看護師）
□キョウイン（教員）
□ケイサツカン（警察官）
□シジン（詩人）
□ジャーナリスト
□セイジカ（政治家）
□ダイク（大工）
□ツウヤク（通訳）
□トリマー
□ニワシ（庭師）
□ビヨウシ（美容師）
□ベンゴシ（弁護士）
□ラクゴカ（落語家）

この解答は126ページ

点つなぎ迷路

☆から★まで順に点をつなぐと、迷路があらわれます。スタートからゴールまで迷わずに進んだとき、通った車は何台あったでしょう？

月　日

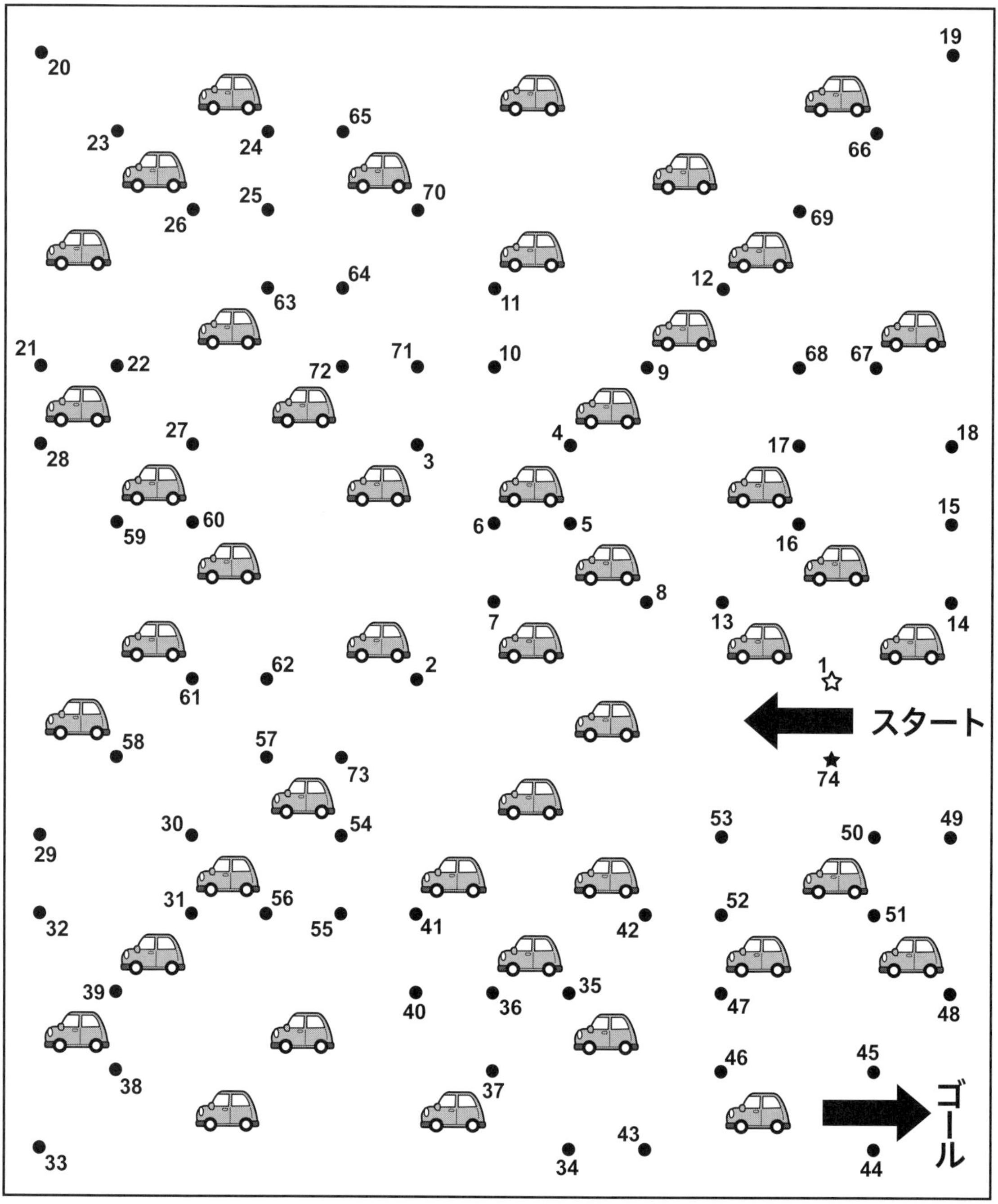

スタート

ゴール

解答

解答

1

ヒ	ト	ヤ	ス	ミ	■	ア	メ
シ	ー	■	ギ	ヤ	ク	サ	ン
ヤ	ク	ミ	■	ダ	ダ	■	キ
タ	■	キ	サ	イ	■	イ	ヨ
イ	ス	■	マ	ク	ウ	チ	■
■	ポ	ニ	ー	■	モ	ズ	ク
カ	ツ	オ	■	ロ	ウ	■	ロ
ク	ト	ウ	テ	ン	■	チ	ジ

A サ B ン C ポ D ミ E チ （散歩道）

2

千	里	眼	■	行	商	■	社
代	■	中	指	■	品	評	会
紙	面	■	定	期	券	■	現
■	白	粉	■	待	■	対	象
後	半	■	吸	■	傾	向	■
■	分	別	収	集	■	車	窓
牧	■	行	■	団	地	■	硝
草	食	動	物	■	名	調	子

気力

3

カ	ケ	ジ	ク		ハ	ー	ト
タ			ロ	カ	タ		ラ
ナ	ワ		ゴ				ン
	サ		マ	グ	カ	ツ	プ
エ	ビ					バ	
ダ		ツ		ヤ		サ	オ
マ		ク	ル	ミ			マ
メ	ウ	エ		ヨ	ビ	カ	ケ

クルマ （車）

4

弁当		リ	コ	利己/甲	ニ	モ	ツ	荷物	
		ク	ウ	テ	ン	空転/鶴	ル		
コ	ベ	ツ	外資/個別	ガ	イ	シ	学位/凧糸	ガ	カ
エ	ン	理屈/円	ス	ミ	任意/墨	キ	タ	ク	画家/帰宅
声/都心	ト	シ	ン	手紙		指揮/小石	コ	イ	シ
コ	ウ	ゴ	寸/交互			ア	イ	愛/梅	ン
ト	言葉/時	ト	キ	側頭部/総理	ソ	ク	ト	ウ	ブ
バ	イ	仕事/倍	シ	ソ	紫蘇/虹	シ	麺/歌	メ	ン
牛乳		ギ	ユ	ウ	ニ	ユ	ウ	新聞	
		ム	騎手/義務	リ	ジ	握手/理事	タ		

A ア B リ C ガ D ト E ウ （ありがとう）

5

ン	ケ	ク	ヨ	キ	イ	タ	ス
エ	イ	カ	イ	ワ	ツ	ン	コ
サ	カ	ン	ガ	ヨ	ダ	ケ	ン
ガ	ン	イ	ゲ	ウ	ト	ミ	メ
コ	タ	シ	コ	バ	バ	ガ	ラ
ピ	ト	ヤ	ン	ウ	レ	テ	フ
ア	シ	リ	ヨ	ウ	リ	エ	ケ
ノ	ウ	ジ	ウ	ユ	シ	ン	ペ

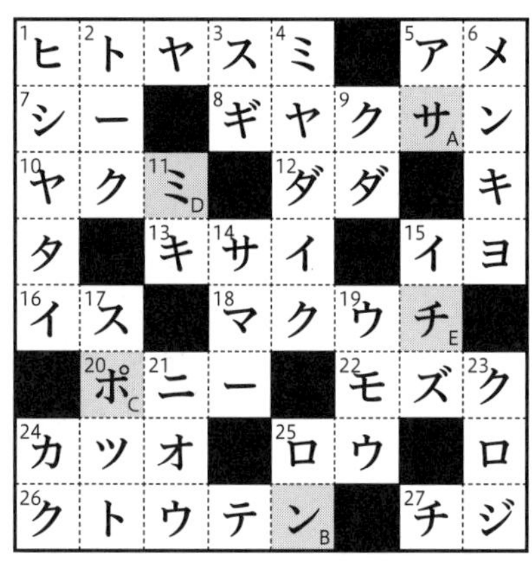

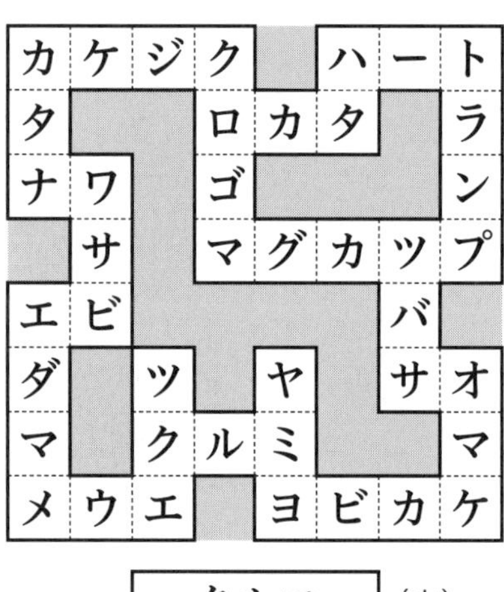

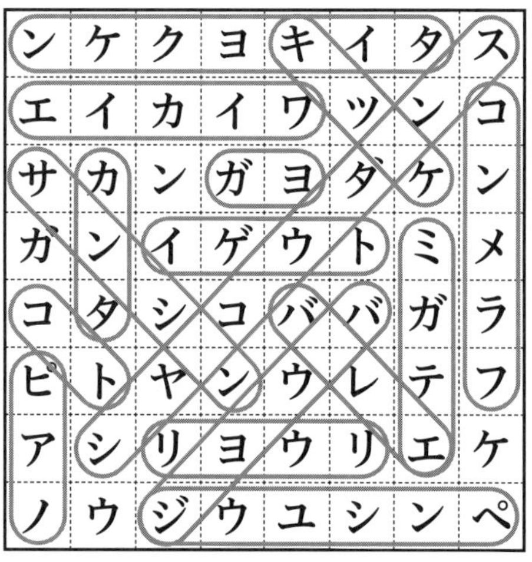

6

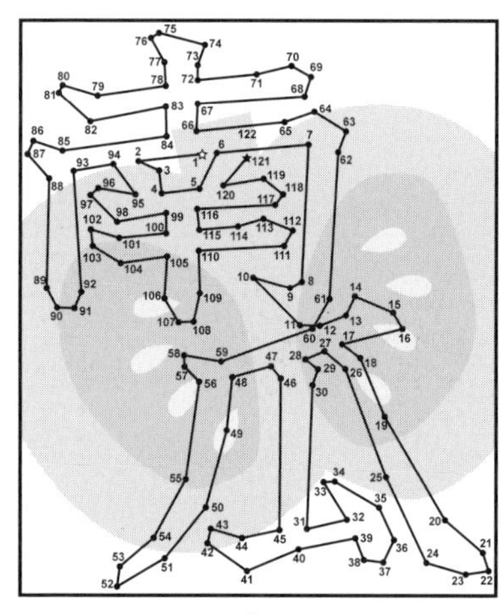

かぼちゃ

7

C

8

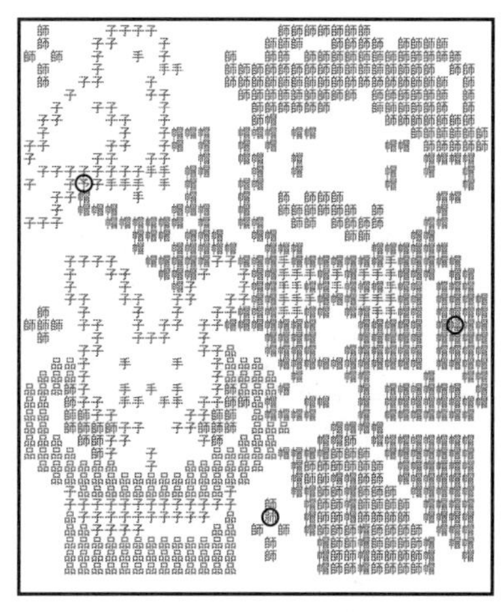

予・幅・肺

9

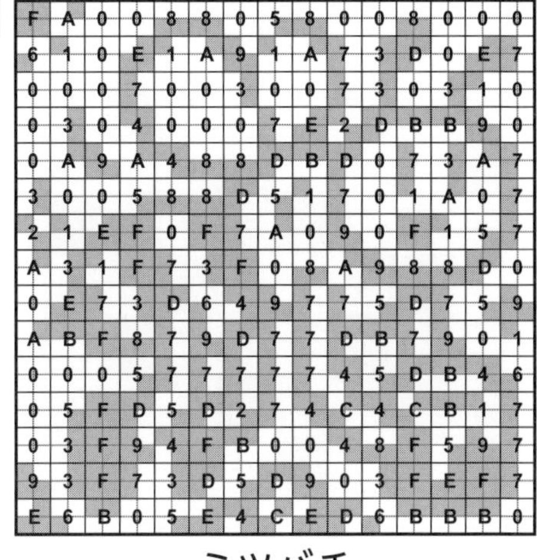

F	A	0	0	8	8	0	5	8	0	0	8	0	0	0
6	1	0	E	1	A	9	1	A	7	3	D	0	E	7
0	0	0	7	0	0	3	0	0	7	3	0	3	1	0
0	3	0	4	0	0	0	7	E	2	D	B	B	9	0
0	A	9	A	4	8	8	D	B	D	0	7	3	A	7
3	0	0	5	8	8	D	5	1	7	0	1	A	0	7
2	1	E	F	0	F	7	A	0	9	0	F	1	5	7
A	3	1	F	7	3	F	0	8	A	9	8	8	D	0
0	E	7	3	D	6	4	9	7	7	5	D	7	5	9
A	B	F	8	7	9	D	7	7	D	B	7	9	0	1
0	0	0	5	7	7	7	7	7	4	5	D	B	4	6
0	5	F	D	5	D	2	7	4	C	4	C	B	1	7
0	3	F	9	4	F	B	0	0	4	8	F	5	9	7
9	3	F	7	3	D	5	D	9	0	3	F	E	F	7
E	6	B	0	5	E	4	C	E	D	6	B	B	B	0

ミツバチ

10

問題 1

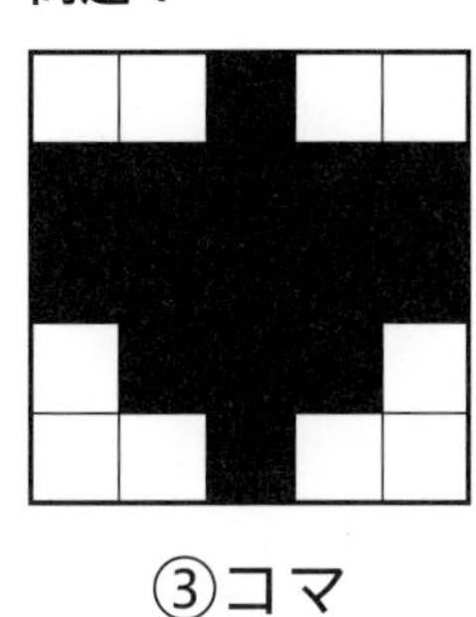

問題 2

③コマ　①音符

11

8	7	6	5	4	2	1	9	3
1	2	9	6	7	3	5	8	4
4	3	5	8	9	1	2	7	6
5	4	2	9	8	6	3	1	7
7	9	1	2	3	5	6	4	8
6	8	3	4	1	7	9	2	5
9	6	7	3	2	4	8	5	1
3	1	8	7	5	9	4	6	2
2	5	4	1	6	8	7	3	9

12

7 > 5 > 1 < 6 > 3 > 2 < 4 < 8
∧ ∨ ∧ ∨ ∧ ∨ ∧ ∨
8 > 3 > 2 < 4 < 5 > 1 < 6 < 7
∨ ∧ ∧ ∨ ∧ ∧ ∨ ∨
6 < 7 > 4 > 3 < 8 > 5 > 1 < 2
∨ ∧ ∧ ∨ ∨ ∧ ∧ ∧
3 < 8 > 7 > 1 < 4 < 6 > 2 < 5
∧ ∨ ∨ ∧ ∨ ∧ ∨ ∨
5 > 1 < 3 < 7 > 2 < 4 < 8 > 6
∨ ∧ ∧ ∨ ∧ ∨ ∨ ∨
1 < 6 < 8 > 2 < 7 > 3 < 5 > 4
∧ ∨ ∨ ∧ ∨ ∧ ∧ ∨
2 < 4 < 6 > 5 > 1 < 8 > 7 > 3
∧ ∨ ∨ ∧ ∧ ∨ ∨ ∨
4 > 2 < 5 < 8 > 6 < 7 > 3 > 1

解答

13

3	5	7	6	8	4	2	9	1
1	6	8	2	7	9	4	3	5
2	4	9	1	3	5	6	8	7
5	9	1	7	6	8	3	4	2
6	8	3	4	1	2	5	7	9
7	2	4	5	9	3	1	6	8
9	3	5	8	2	6	7	1	4
8	7	2	3	4	1	9	5	6
4	1	6	9	5	7	8	2	3

7	1	4	8	5	6	9	2	3
9	5	6	1	2	3	7	8	4
8	2	3	9	4	7	5	1	6
2	3	7	4	6	5	1	9	8
6	8	9	2	3	1	4	5	7
5	4	1	7	8	9	6	3	2
3	7	2	5	1	4	8	6	9
4	6	5	3	9	8	2	7	1
1	9	8	6	7	2	3	4	5

14

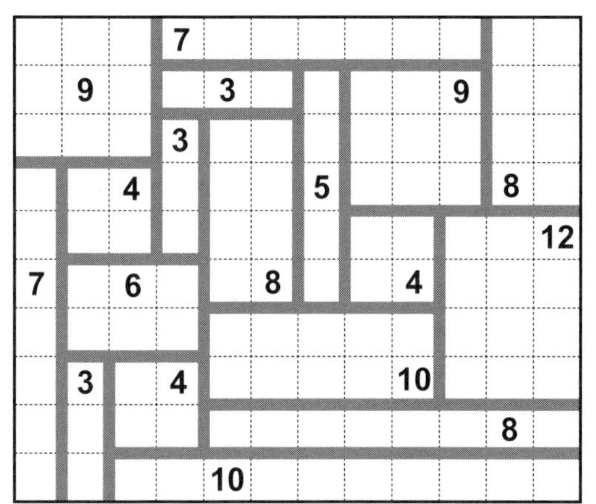

15

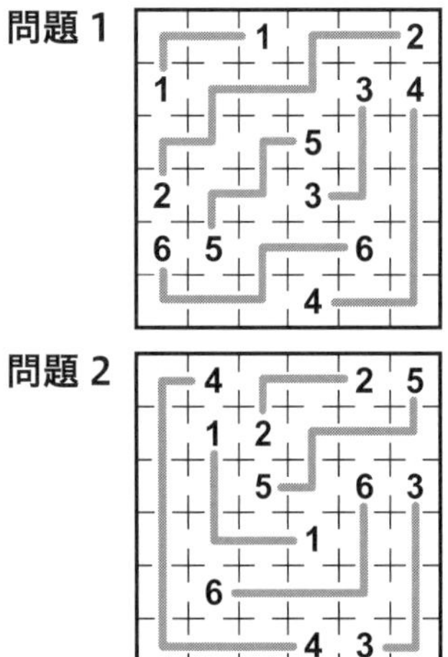

問題 1

問題 2

16

1レ	2シ	ー	3ブ	■	4ミ	カ	5タ
6ア	リ	■	7ヒ	ラ	ヤ(D)	■	イ
■	8キ	9イ(C)	ン	■	10ザ	11イ	コ
12ハ	レ	ツ	■	13ス	キ	ル	■
ナ	■	14キ	15ズ	ナ	■	16カ	17ス
18コ	19コ	■	20コ	オ(A)	21リ	■	ク
22ト	リ(E)	23ヨ	ウ	■	24カ	25カ	エ
26バ	ー	ド	■	27ユ	ー	モ(B)	ア

A	B	C	D	E
オ	モ	イ	ヤ	リ

（思いやり）

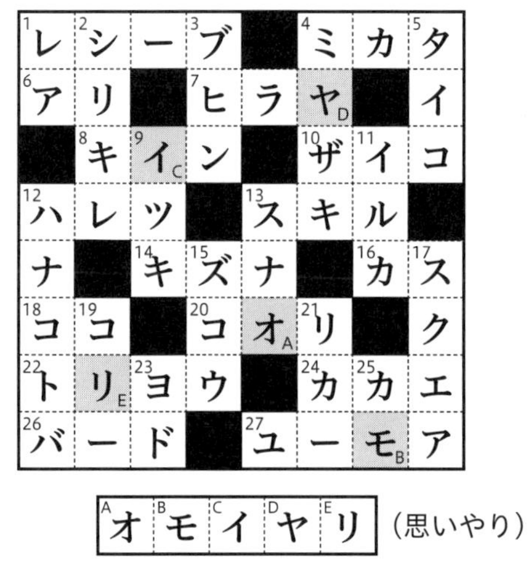

17

海	千	山	千	■	若	大	将
岸	■	吹	■	欄	干	■	来
■	三	色	旗	■	名	門	■
祝	日	■	手	段	■	下	旬
■	月	夜	■	落	花	生	■
純	■	行	政	■	鳥	■	世
文	字	列	■	無	風	地	帯
学	■	車	掌	■	月	■	主

上昇

18

ア	サ	ヒ			ヒ	キ	ド
ト		モ	チ	ゴ	メ		リ
リ						ギ	ア
エ	ラ		リ	ヨ	カ	ン	
	ジ	タ	ク			カ	オ
シ	オ				ヒ		ト
ク			カ	イ	ガ		ト
ミ	ミ	タ	ブ		タ	ワ	シ

カカオ

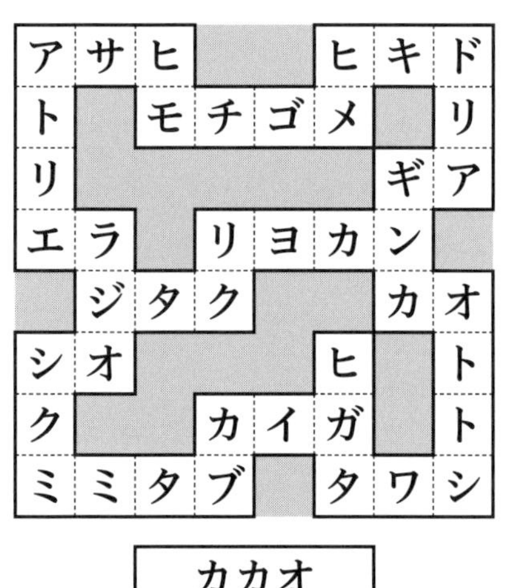

19

ハ	ネ	ブ	ト	ン	羽布団 芯	シ	ツ	コ	ク
ア	武家 稀有	ケ	ウ D	勲位	ク	ン	イ	漆黒 蟷螂	ツ
ク	セ	癖 凍土	ド	ギ	モ	度肝 衝立	タ A	カ	靴 鷹
把握 摂理	ツ	キ	月		雲		テ	マ	リ
ミ	リ	ン					手鞠 棋士	キ	シ
カ	味醂	キ	飛行機		鳥		ト	リ	利子 丹念
イ B	キ	禁忌 粋					ザ	登山 沈殿	タ
未開 関与	ヒ	コ	ウ	キ	猪口 八千代	チ	ン	デ	ン
カ	ン	ヨ	暦 魅惑	ヤ	チ	ヨ C	杵	キ	ネ
ゴ	貴賓 加護	ミ	ワ	ク	規約 腰	コ	シ	出来	ン

A タ B イ C ヨ D ウ （太陽）

20

21

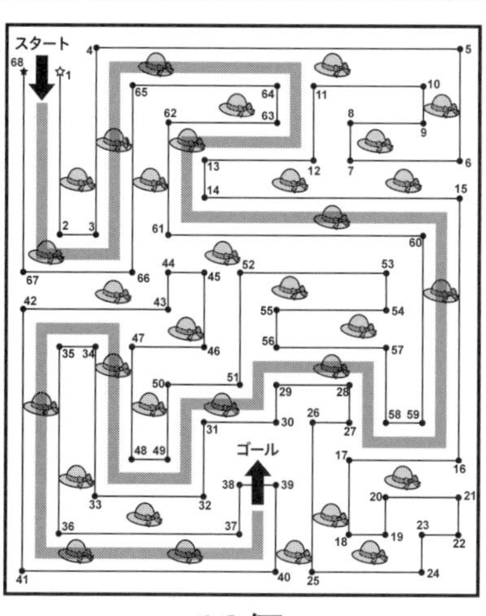

12個

22

C

23

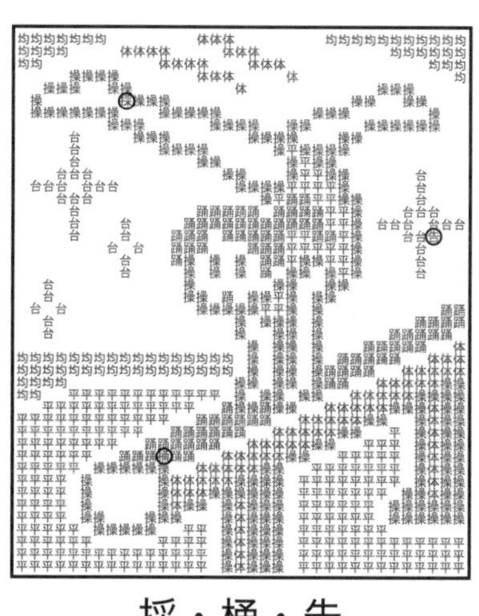

採・桶・告

24

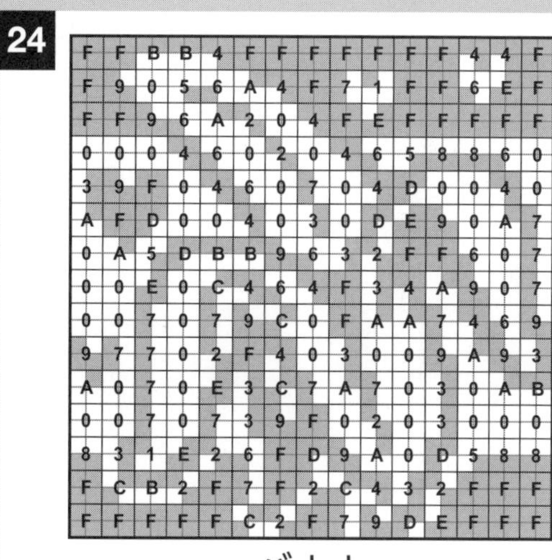

バナナ

解答

25

問題 1

①イカリ

問題 2

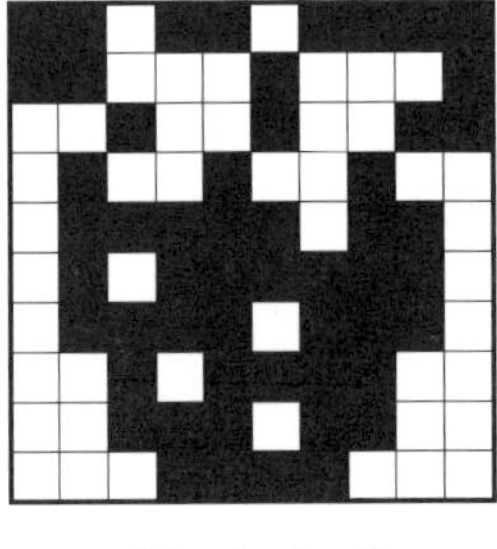

③イチゴ

26

問題 1

5	2	1	7	3	6	4	9	8
9	3	6	4	1	8	5	2	7
8	4	7	9	2	5	1	6	3
2	5	4	6	8	1	3	7	9
1	8	9	5	7	3	6	4	2
7	6	3	2	9	4	8	1	5
4	9	8	3	6	2	7	5	1
3	7	5	1	4	9	2	8	6
6	1	2	8	5	7	9	3	4

問題 2

2	9	7	4	1	8	3	5	6
5	4	3	2	9	6	8	7	1
6	8	1	7	5	3	9	2	4
9	2	8	3	4	7	1	6	5
4	3	5	6	8	1	2	9	7
1	7	6	9	2	5	4	3	8
8	1	9	5	7	2	6	4	3
7	6	4	8	3	9	5	1	2
3	5	2	1	6	4	7	8	9

27

2 > 1 < 6 > 3 < 4 < 8 > 7 > 5
∧ ∧ ∧ ∨ ∨ ∨ ∨ ∧
7 > 3 < 8 > 2 > 1 < 4 < 5 < 6
∨ ∧ ∨ ∧ ∧ ∧ ∧ ∨
1 < 8 > 7 > 4 > 3 < 5 < 6 > 2
∧ ∨ ∨ ∧ ∧ ∨ ∨ ∧
8 > 5 > 1 < 7 > 6 > 2 < 3 < 4
∨ ∨ ∧ ∧ ∨ ∧ ∧ ∨
6 > 2 < 3 < 8 > 5 < 7 > 4 > 1
∨ ∧ ∧ ∨ ∧ ∨ ∨ ∧
3 < 4 < 5 < 6 < 8 > 1 < 2 < 7
∧ ∧ ∨ ∨ ∨ ∧ ∧ ∨
5 < 7 > 4 > 1 < 2 < 6 < 8 > 3
∨ ∨ ∨ ∧ ∧ ∨ ∨ ∧
4 < 6 > 2 < 5 < 7 > 3 > 1 < 8

28

4	5	8	3	9	6	1	7	2
9	2	1	5	7	8	3	4	6
7	6	3	1	4	2	5	9	8
8	4	6	2	1	9	7	5	3
5	7	9	6	8	3	4	2	1
1	3	2	7	5	4	8	6	9
2	1	4	8	6	5	9	3	7
6	9	7	4	3	1	2	8	5
3	8	5	9	2	7	6	1	4

9	3	7	5	1	4	8	6	2
2	8	5	3	9	6	1	4	7
6	1	4	8	2	7	3	5	9
8	6	1	4	3	9	2	7	5
4	5	9	2	7	8	6	1	3
3	7	2	6	5	1	4	9	8
7	2	3	1	6	5	9	8	4
1	9	8	7	4	2	5	3	6
5	4	6	9	8	3	7	2	1

29

30

問題 1

問題 2

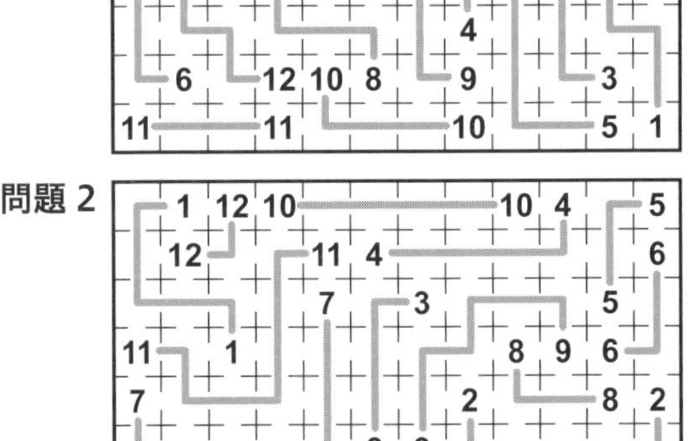

31

タタズマイ（佇まい）

32

県	庁	所	在	地	■	脚	色
境	■	得	■	元	本	■	眼
■	免	税	店	■	望	遠	鏡
特	許	■	番	頭	■	近	■
待	■	斜	■	金	銭	感	覚
生	真	面	目	■	湯	■	悟
■	骨	■	星	空	■	連	■
有	頂	天	■	腹	式	呼	吸

歩調

33

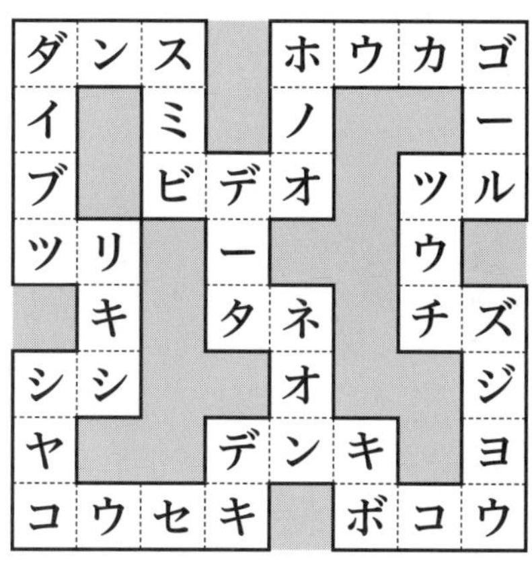

ツバキ（椿）

34

神楽			ソ	ボ	祖母/棒	コ	ケ	法被	
			ト	ウ	イ	苔/佃煮	ン		
ツ	カ	塚/外堀	ベ	頭囲/異派	ハ	ツ	ピ		
具体化/琢磨	グ	タ	イ	カ	訓	ク	ン	検品	カ
タ	ラ	イ	一打/余暇	イ	チ	ダ	縞/戌	シ	マ
ク	盟/貸与	ヨ	カ	戒/地下街	カ	ニ	イ	シ	釜/稚児
マ	ド	窓/蒲鉾	マ	ン	ガ	蟹石/花壇	ヌ	マ	チ
神輿		ツ	ボ	漫画/壺	イ	カ	沼地/囲碁	イ	ゴ
		ミ	コ	シ	烏賊/示唆	ダ	獅子舞		
		ニ	積荷/左腕	サ	ワ	ン			

チヨウチン（提灯）

35

36

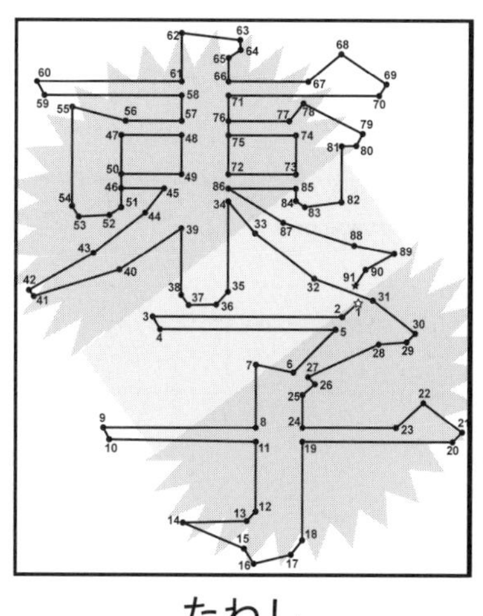

たわし

解答

37

B

38

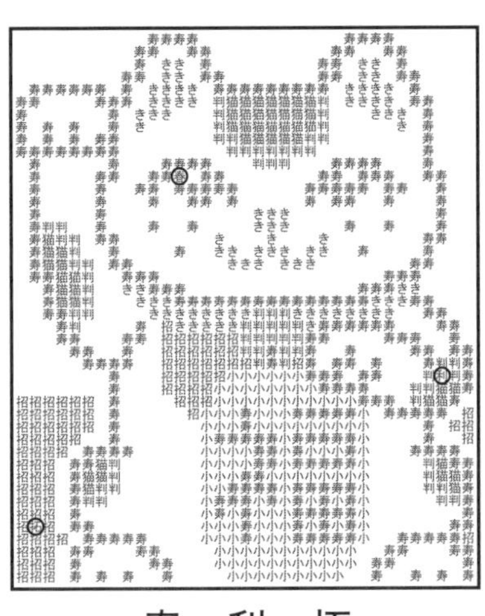

春・利・拓

39

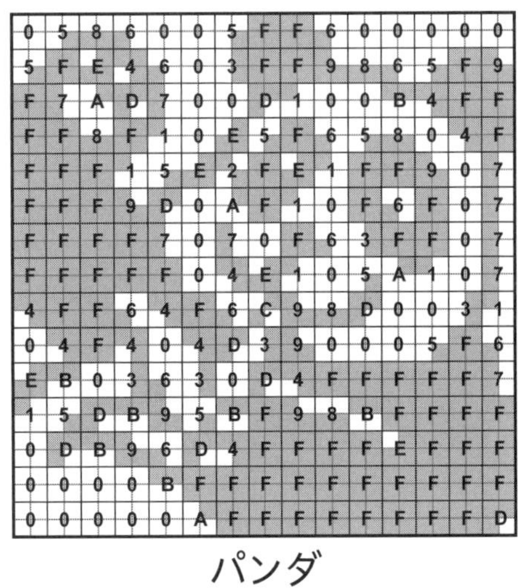

0	5	8	6	0	0	5	F	F	6	0	0	0	0	0
5	F	E	4	6	0	3	F	F	9	8	6	5	F	9
F	7	A	D	7	0	0	D	1	0	0	B	4	F	F
F	F	8	F	1	0	E	5	F	6	5	8	0	4	F
F	F	F	1	5	E	2	F	E	1	F	F	9	0	7
F	F	F	9	D	0	A	F	1	0	F	6	F	0	7
F	F	F	F	7	0	7	0	F	6	3	F	F	0	7
F	F	F	F	F	0	4	E	1	0	5	A	1	0	7
4	F	F	6	4	F	6	C	9	8	D	0	0	3	1
0	4	F	4	0	4	D	3	9	0	0	0	5	F	6
E	B	0	3	6	3	0	D	4	F	F	F	F	F	7
1	5	D	B	9	5	B	F	9	8	B	F	F	F	F
0	D	B	9	6	D	4	F	F	F	F	E	F	F	F
0	0	0	0	B	F	F	F	F	F	F	F	F	F	F
0	0	0	0	0	A	F	F	F	F	F	F	F	F	D

パンダ

40

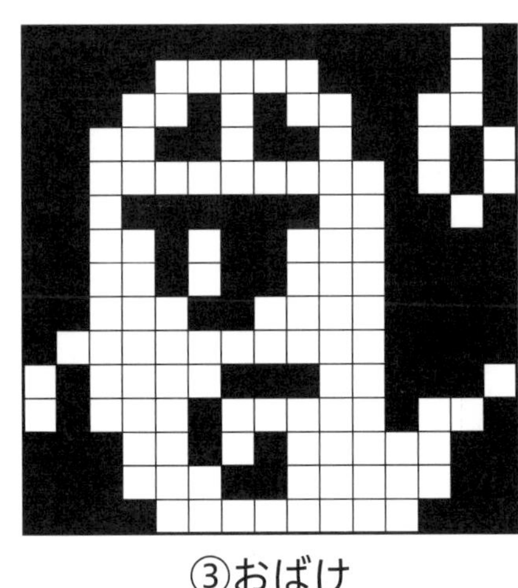

③おばけ

41

問題 1

1	4	2	3	7	8	9	6	5
8	3	7	9	5	6	1	2	4
5	9	6	1	4	2	7	3	8
3	1	8	4	2	9	6	5	7
2	7	4	5	6	1	3	8	9
9	6	5	7	8	3	4	1	2
6	5	9	2	1	7	8	4	3
4	8	3	6	9	5	2	7	1
7	2	1	8	3	4	5	9	6

問題 2

4	6	2	7	8	9	1	3	5
1	5	3	6	4	2	9	8	7
8	9	7	1	5	3	2	4	6
9	2	6	3	1	5	4	7	8
5	7	4	8	9	6	3	2	1
3	1	8	2	7	4	6	5	9
6	8	1	4	2	7	5	9	3
7	4	5	9	3	1	8	6	2
2	3	9	5	6	8	7	1	4

42

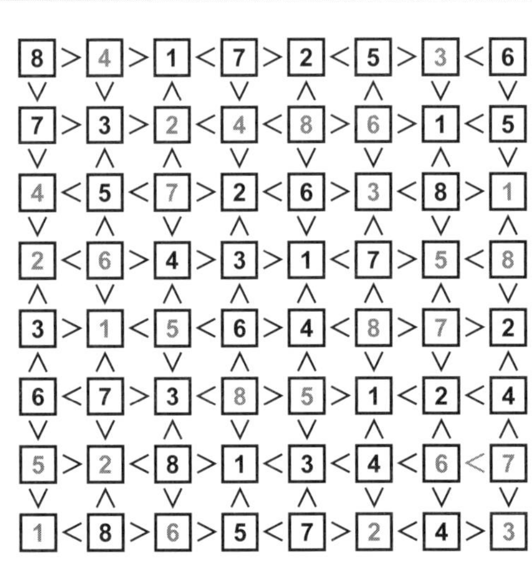

43

						1	9	4	8	7	5	2	3	6
						6	3	7	2	1	4	9	8	5
						5	2	8	3	9	6	7	4	1
						8	6	9	4	3	1	5	7	2
						7	1	3	5	2	9	4	6	8
						4	5	2	7	6	8	3	1	9
9	7	5	6	2	4	3	8	1	9	4	2	6	5	7
2	3	6	8	1	7	9	4	5	6	8	7	1	2	3
4	8	1	9	5	3	2	7	6	1	5	3	8	9	4
3	1	7	4	6	9	5	2	8						
6	9	2	5	7	8	1	3	4						
8	5	4	2	3	1	7	6	9						
1	2	8	3	9	6	4	5	7	6	8	9	1	3	2
5	6	9	7	4	2	8	1	3	4	5	2	6	7	9
7	4	3	1	8	5	6	9	2	7	1	3	5	8	4
						2	3	5	8	4	6	9	1	7
						9	7	8	1	2	5	4	6	3
						1	4	6	9	3	7	8	2	5
						5	8	4	2	7	1	3	9	6
						3	2	9	5	6	8	7	4	1
						7	6	1	3	9	4	2	5	8

44

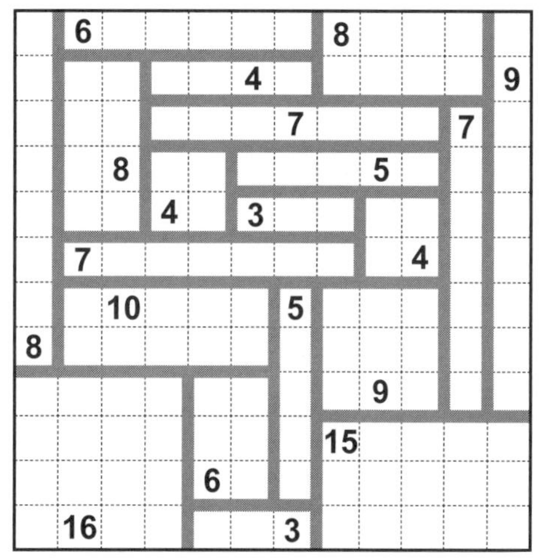

45

問題 1

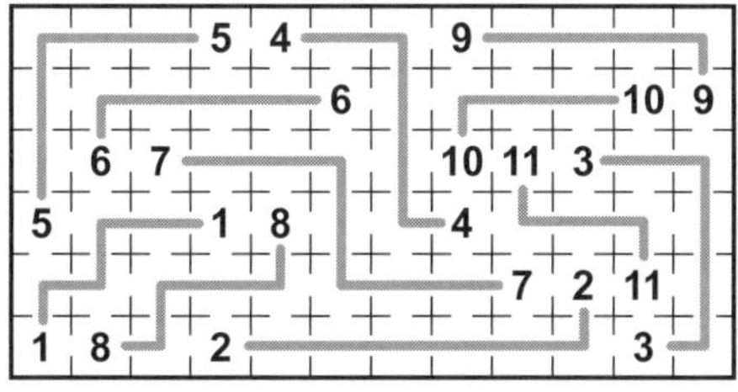

問題 2

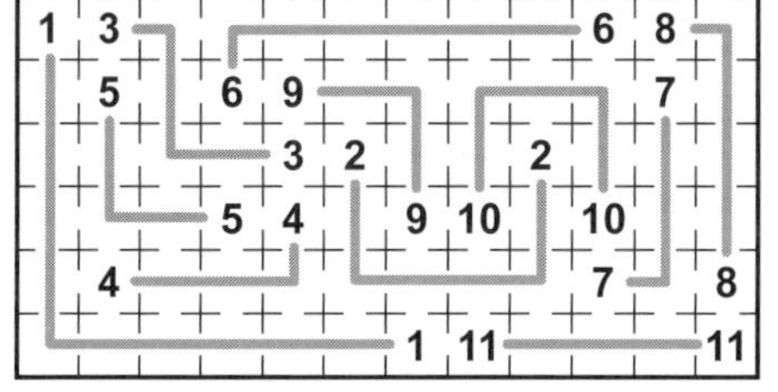

46

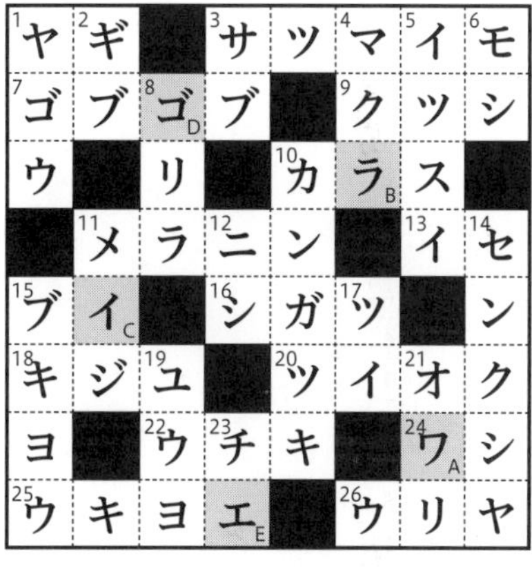

1ヤ	2ギ	■	3サ	ツ	4マ	5イ	6モ
7ゴ	ブ	8ゴ D	ブ	■	9ク	ツ	シ
ウ	■	リ	■	10カ	ラ B	ス	■
■	11メ	ラ	12ニ	ン	■	13イ	14セ
15ブ	イ C	■	16シ	ガ	17ツ	■	ン
18キ	ジ	19ユ	■	20ツ	イ	21オ	ク
ヨ	■	22ウ	23チ	キ	■	24ワ A	シ
25ウ	キ	ヨ	エ E	■	26ウ	リ	ヤ

A ワ B ラ C イ D ゴ E エ （笑い声）

47

二	言	■	最	年	少	■	白
度	■	真	上	■	数	珠	玉
手	裏	剣	■	誠	意	■	粉
間	■	勝	因	■	見	本	■
■	自	負	■	認	■	会	計
人	伝	■	不	可	思	議	■
生	■	駐	在	■	春	■	想
観	覧	車	■	初	期	設	定

大器

48

イ	タ	マ	エ		ハ	レ	マ
ズ			ダ	イ	リ		イ
ミ	ス						ア
	ハ	ン	イ		ウ	ワ	サ
フ	ダ		チ	ー	ズ		
オ					ラ	ク	ダ
ー		ナ	カ	マ			エ
ク	ビ	ワ		ゴ	ジ	ユ	ン

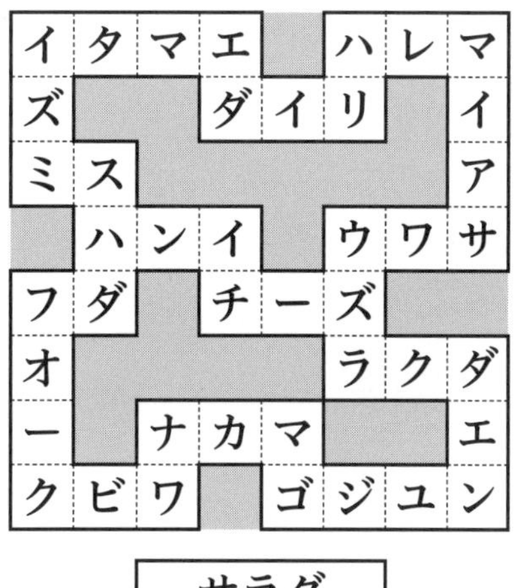

サラダ

解答

49

オチツクネ（落ち着くね）

50

51

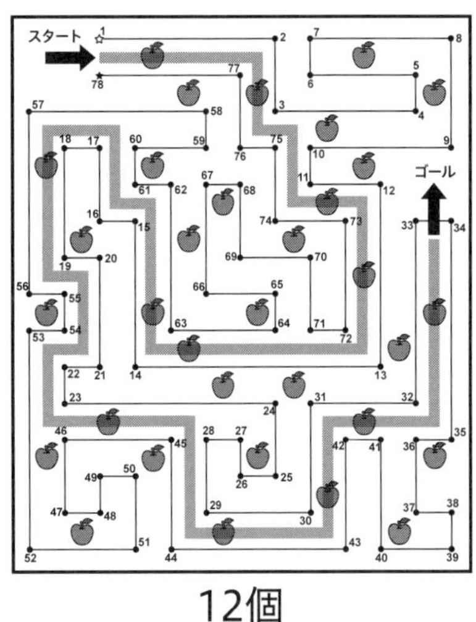

12個

52

D

53

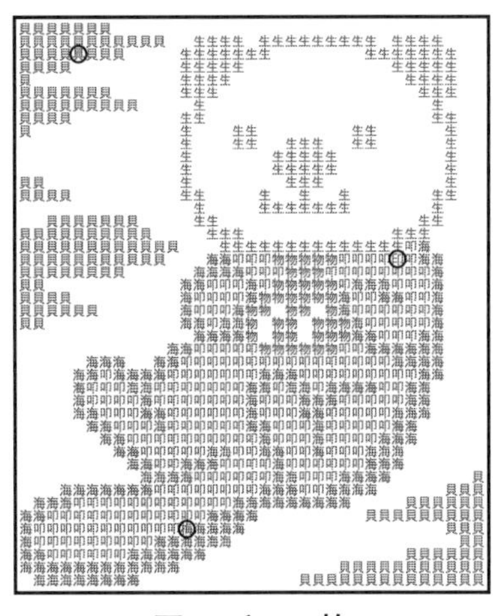

貝・印・梅

54

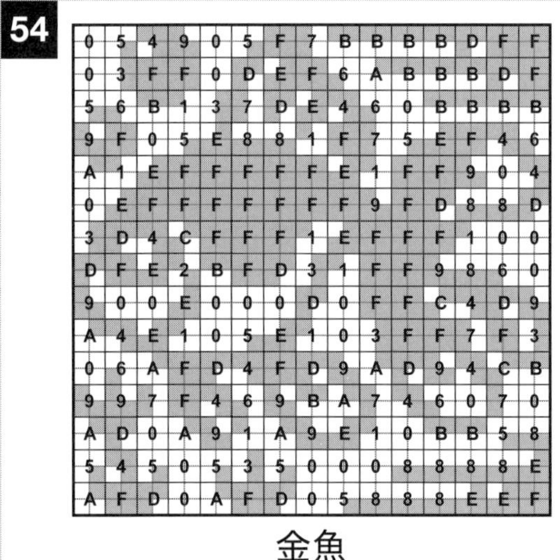

金魚

55

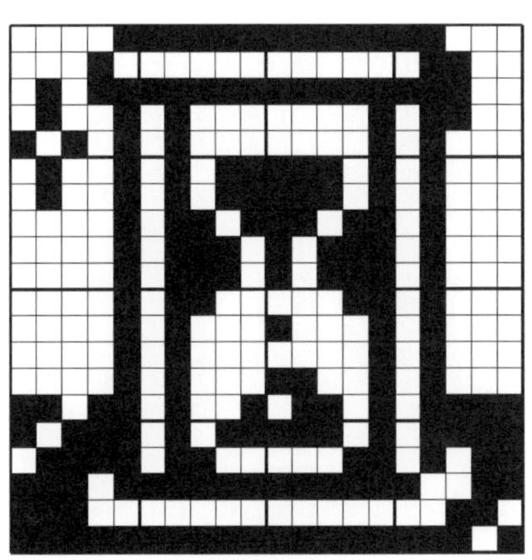

①砂時計

56

問題 1

7	2	4	1	8	6	9	5	3
8	5	9	2	7	3	1	4	6
6	3	1	5	9	4	2	7	8
2	4	8	9	5	7	3	6	1
3	9	7	6	4	1	5	8	2
1	6	5	3	2	8	4	9	7
5	1	3	8	6	9	7	2	4
9	7	6	4	3	2	8	1	5
4	8	2	7	1	5	6	3	9

問題 2

1	6	9	8	7	3	2	4	5
3	4	8	2	5	9	1	7	6
7	2	5	6	4	1	9	8	3
4	5	1	3	2	7	8	6	9
8	3	2	5	9	6	7	1	4
9	7	6	4	1	8	3	5	2
6	1	7	9	3	5	4	2	8
2	8	3	1	6	4	5	9	7
5	9	4	7	8	2	6	3	1

57

4 < 8 > 2 < 5 < 6 > 3 < 7 > 1
∨ ∨ ∧ ∨ ∨ ∧ ∨ ∧
1 < 5 < 6 > 2 < 4 < 7 > 3 < 8
∧ ∨ ∨ ∧ ∨ ∨ ∧ ∨
6 > 2 > 1 < 8 > 3 < 4 < 5 < 7
∧ ∧ ∧ ∨ ∧ ∨ ∧ ∨
7 > 3 < 5 > 4 < 8 > 1 < 6 > 2
∨ ∧ ∧ ∨ ∨ ∧ ∨ ∧
3 < 7 < 8 > 1 < 5 > 2 < 4 < 6
∧ ∨ ∨ ∧ ∨ ∧ ∨ ∨
8 > 6 > 3 < 7 > 2 < 5 > 1 < 4
∨ ∨ ∧ ∨ ∨ ∧ ∧ ∨
5 > 4 < 7 > 6 > 1 < 8 > 2 < 3
∨ ∨ ∨ ∨ ∧ ∨ ∧ ∧
2 > 1 < 4 > 3 < 7 > 6 < 8 > 5

58

8	3	5	2	6	4	7	9	1						
4	6	2	1	7	9	5	3	8						
9	1	7	3	5	8	4	6	2						
3	7	8	4	9	6	1	2	5						
1	2	4	5	3	7	6	8	9						
5	9	6	8	1	2	3	4	7						
6	5	1	9	2	3	8	7	4	3	9	6	1	5	2
7	8	9	6	4	1	2	5	3	4	8	1	7	9	6
2	4	3	7	8	5	9	1	6	7	5	2	8	4	3
						6	8	1	9	4	7	2	3	5
						5	4	2	6	3	8	9	7	1
						3	9	7	2	1	5	6	8	4
9	4	8	6	1	2	7	3	5	1	2	9	4	6	8
6	7	1	8	5	3	4	2	9	8	6	3	5	1	7
5	3	2	9	4	7	1	6	8	5	7	4	3	2	9
8	1	9	2	6	4	3	5	7						
3	2	5	1	7	8	6	9	4						
7	6	4	5	3	9	2	8	1						
1	8	6	4	2	5	9	7	3						
4	5	3	7	9	6	8	1	2						
2	9	7	3	8	1	5	4	6						

59

					5						
		5		6						6	
3						12					
					12						5
										3	
											8
		6					5				
	8								8		
				9							
9						4					
		10								5	
			7						8		

60

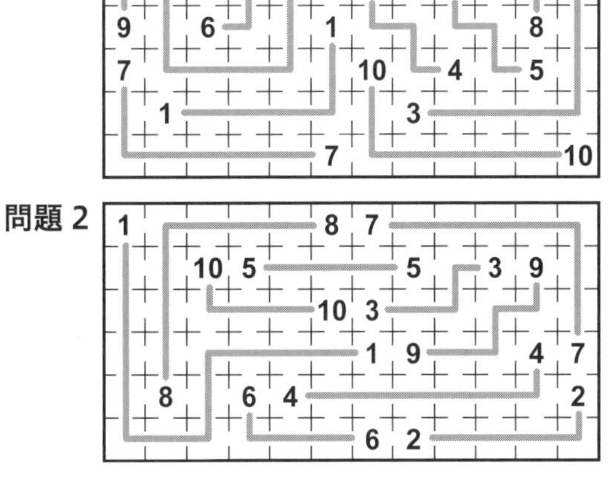

解答

61

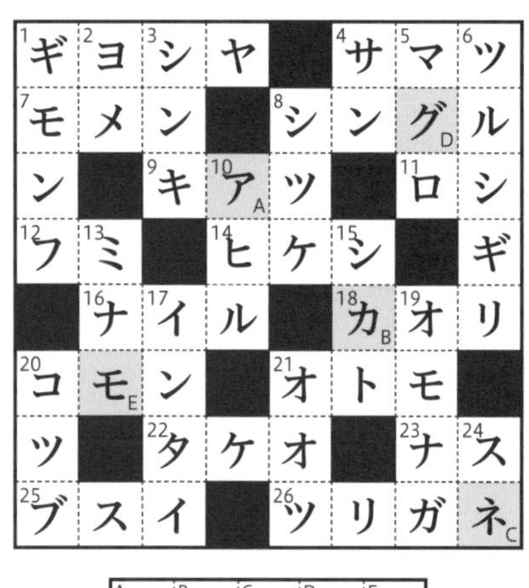

アカネグモ（茜雲）

62

温厚

63

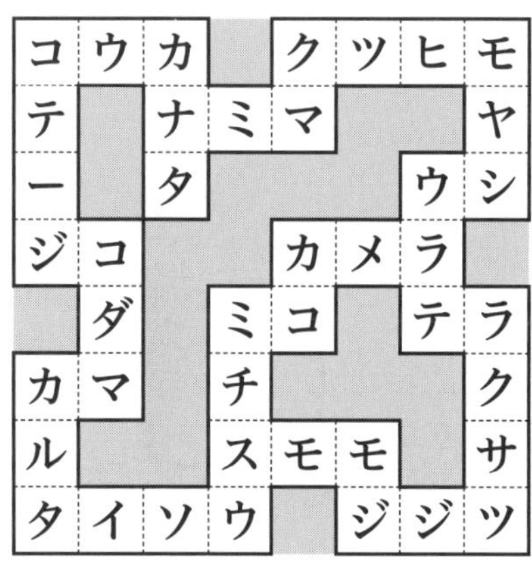

コムギ（小麦）

64

ラ	イ	レC	キ	油脂	メ	名誉 復帰	フ	ツ	キ
損	ソ	ン	来歴 運動	ユ	イ	ノ	ウ	次官	カ
マ	磯 誠	ド	ク	シ	ヨ	結納	チE	ジ	気化 知事
コ	コ	ウ	読書		電話		風致 過去	カ	コ
トB	ウ	孤高 党					デ	ン	ワ
交付	フ	ロ	風呂		睡眠		バ	声色	イ
ホ	論理 考慮	ン					出刃	シ	ロ
コ	ウ	リ	ヨ	様子 匙	ス	イ	ミ	ン	城 余日
サ	バ	鯖 背筋	ウ	サ	ギ	妙 兎	ヨ	ジ	ツD
キ	乳母 矛先	セ	スA	ジ	杉 層	ソ	ウ	神事 綱	ナ

ストレッチ（ストレッチ）

65

66

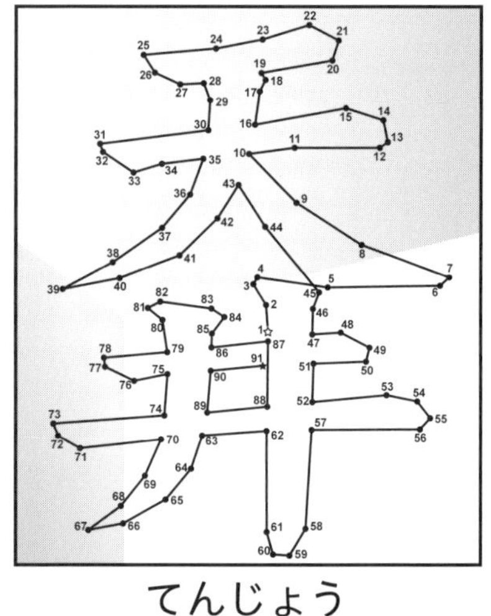

てんじょう

67

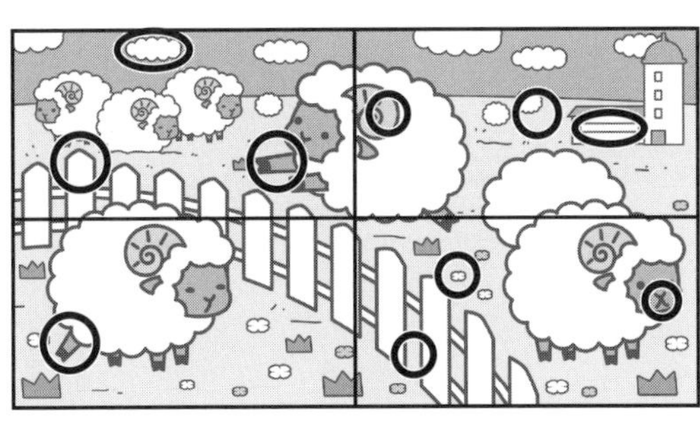

C

68

休・採・節

69

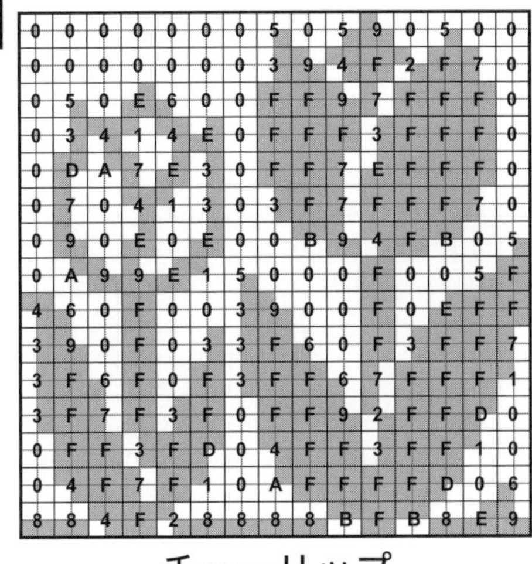

チューリップ

70

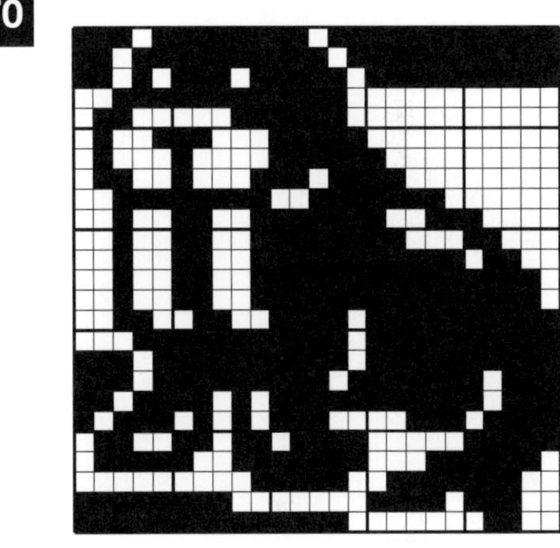

②セイウチ

71

問題 1

9	4	2	5	1	8	3	7	6
8	6	5	3	7	2	4	1	9
1	3	7	9	4	6	2	8	5
5	1	6	2	8	7	9	3	4
7	9	8	4	3	5	6	2	1
3	2	4	1	6	9	8	5	7
6	7	9	8	5	3	1	4	2
4	5	3	6	2	1	7	9	8
2	8	1	7	9	4	5	6	3

問題 2

6	4	7	5	9	3	1	8	2
8	5	9	4	1	2	6	3	7
3	2	1	7	8	6	9	5	4
9	3	6	1	4	8	2	7	5
5	8	4	2	7	9	3	1	6
1	7	2	6	3	5	4	9	8
2	9	3	8	5	4	7	6	1
7	6	5	3	2	1	8	4	9
4	1	8	9	6	7	5	2	3

72

```
6 < 8 > 4 > 3 < 5 > 2 > 1 < 7
∨   ∨   ∧   ∧   ∧   ∧   ∧   ∨
1 < 2 < 5 > 4 < 6 < 7 < 8 > 3
∧   ∨   ∧   ∧   ∨   ∨   ∨   ∧
5 > 1 < 6 < 7 > 2 < 3 < 4 < 8
∧   ∧   ∨   ∨   ∧   ∧   ∨   ∨
7 > 4 > 2 < 6 < 8 > 5 > 3 > 1
∨   ∧   ∨   ∨   ∨   ∧   ∧   ∧
4 < 6 > 1 < 5 > 3 < 8 > 7 > 2
∧   ∨   ∧   ∨   ∧   ∨   ∨   ∧
8 > 3 < 7 > 1 < 4 < 6 > 2 < 5
∨   ∧   ∨   ∧   ∧   ∨   ∧   ∨
2 < 5 > 3 < 8 > 7 > 1 < 6 > 4
∧   ∧   ∧   ∨   ∨   ∧   ∨   ∧
3 < 7 < 8 > 2 > 1 < 4 < 5 < 6
```

解答

73

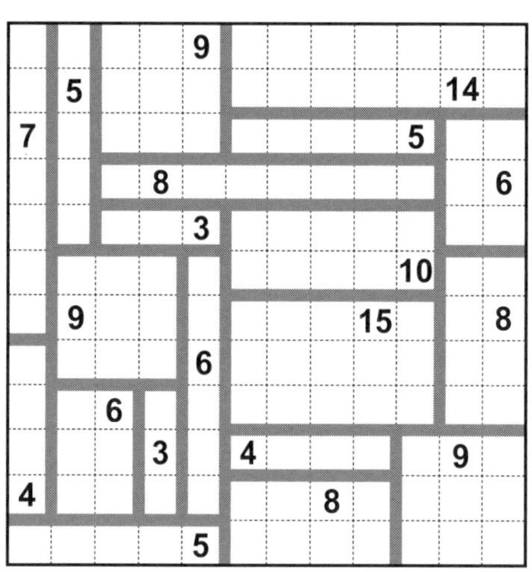

74

問題 1

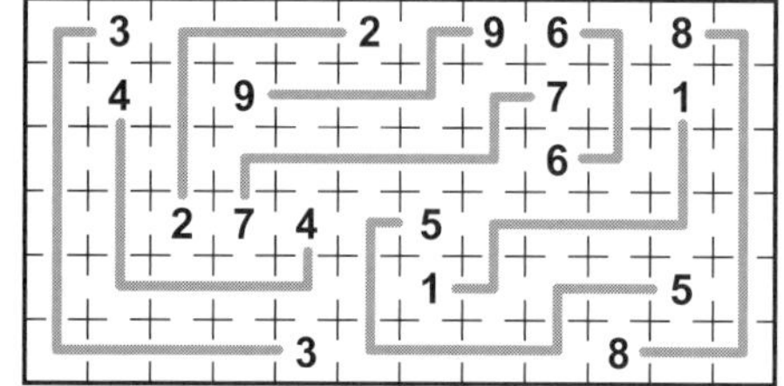

問題 2

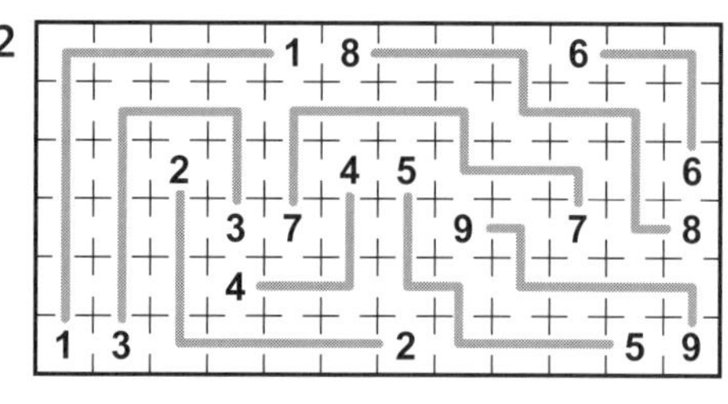

75

自	治	会	■	有	形	資	本
動	■	計	算	機	■	■	採
制	■	年	■	化	学	作	用
御	法	度	■	合	■	詞	■
■	律	■	■	物	■	家	屋
自	家	発	電	■	■	■	上
然	■	■	子	供	会	■	緑
体	色	変	化	■	食	文	化

本家本元

76

緞帳			ネ	ジ	螺子/冬	フ	ユ	舞台	
			ド	ン	チ	ヨ	ウ		
カ	傘/蛍	ヨ	コ	仁/横	コ	付与/視野	ガ		
サ	ホ D	ウ	寝床/魂	ツ	ク	シ	優雅/土筆	ブ	グ
作法/蔓	タ	マ	シ	イ	遅刻/館	ヤ B	カ	タ	武具/疑問
ツ	ル	洋間/録画	ロ	ク C	ガ	発掘	セ	イ	ギ
エ	杖/店先	ミ	エ	対句/見栄	ケ	ハ	イ	正義/気配	モ
台詞		セ	リ	フ	崖/騾馬	ツ	加勢/論	ロ	ン E
		サ	白襟/基礎	ナ	ラ	ク	奈落		
		キ A	ソ	鮒/罰	バ	ツ			

A キ B ヤ C ク D ホ E ン （脚本）

77

ー	バ	カ	ム	ー	ア	キ	リ
ン	タ	シ	タ	ツ	エ	ー	ル
ペ	ー	ツ	バ	イ	ン	ダ	ー
ル	カ	ン	セ	ン	ビ	ウ	ス
ー	シ	ウ	ト	ン	ン	ト	キ
ボ	ユ	セ	ノ	ウ	セ	ウ	チ
シ	ニ	プ	ツ	リ	ク	フ	ツ
リ	ク	デ	ン	ピ	ヨ	ウ	ホ

78

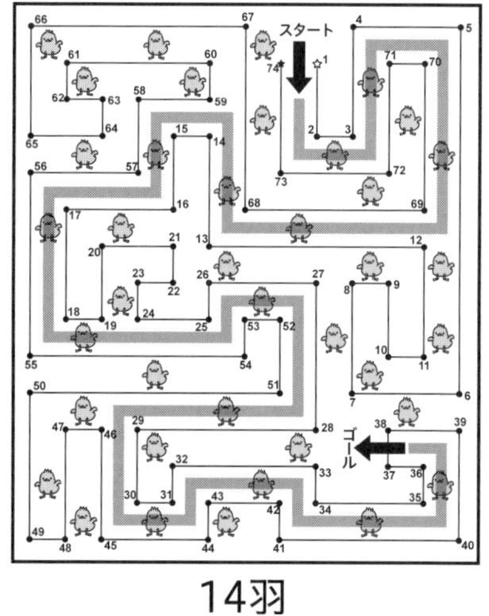

14羽

79

問題 1

3	7	4	2	9	6	5	1	8
9	6	8	1	5	4	2	7	3
1	5	2	7	3	8	9	4	6
8	4	1	6	7	5	3	9	2
2	3	6	8	1	9	4	5	7
7	9	5	3	4	2	6	8	1
4	1	3	9	6	7	8	2	5
6	8	9	5	2	1	7	3	4
5	2	7	4	8	3	1	6	9

問題 2

7	9	6	2	1	8	3	5	4
4	3	2	7	5	6	1	8	9
8	1	5	3	4	9	2	6	7
1	5	4	8	9	7	6	2	3
6	7	8	5	2	3	4	9	1
9	2	3	1	6	4	8	7	5
2	8	1	9	3	5	7	4	6
3	4	9	6	7	2	5	1	8
5	6	7	4	8	1	9	3	2

80

5	8	4	2	6	7	3	9	1
2	9	8	3	7	1	5	6	4
7	2	9	4	1	8	6	5	3
6	5	7	1	4	9	2	3	8
3	7	5	9	8	2	4	1	6
9	6	3	7	2	4	1	8	5
4	3	1	6	9	5	8	7	2
8	1	2	5	3	6	7	4	9
1	4	6	8	5	3	9	2	7

81

82

問題 1

問題 2

83

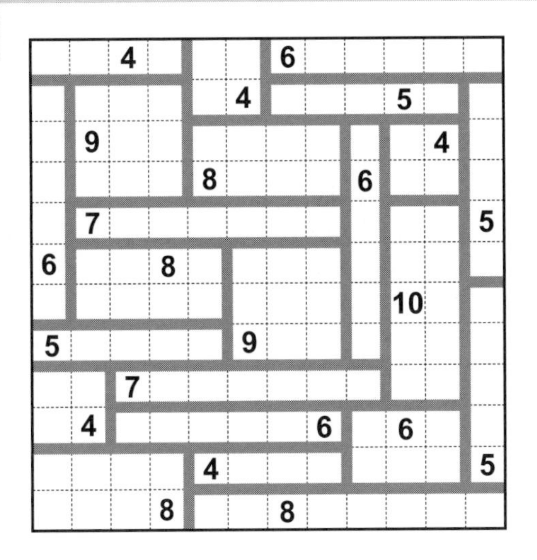

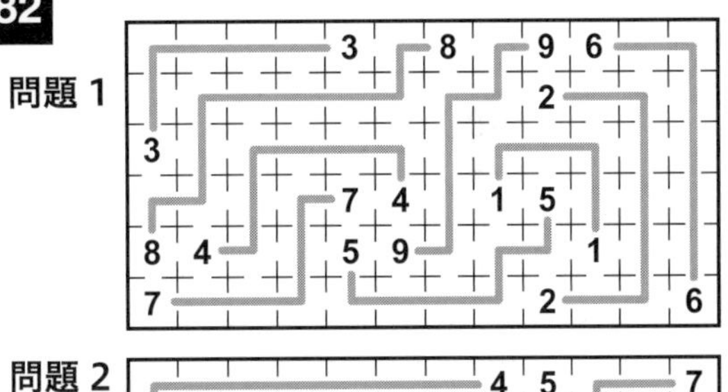

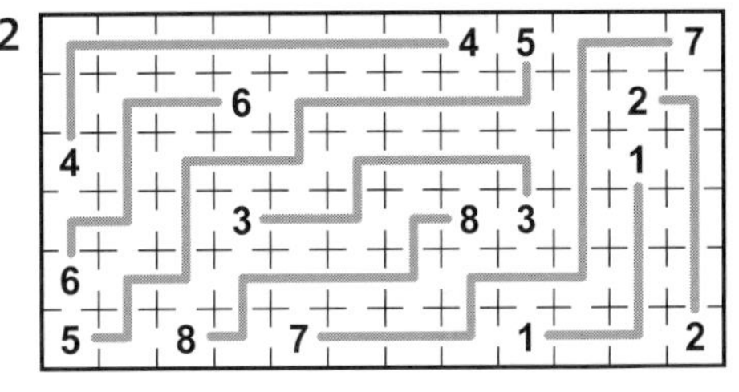

天	地	無	用	■	滑	走	路
日	■	■	水	菓	子	■	面
塩	水	■	路	■	■	■	電
■	面	■	■	自	家	用	車
天	下	一	品	■	■	字	■
気	■	刻	■	■	司	法	権
予	■	千	人	力	■	■	利
報	奨	金	■	水	道	料	金

明太子

84

山葵		ゴ	ク	イ	極意/盆地	ノ	リ	海苔	
		テ	ラD	寺/募金	ボ	キ	ン		
ニ	ワ	後手	ヤ	カ	ン	軒/薬缶	ゴ	トA	ウ
庭/殿	サ	シ	ミ	刺身	チ	ク	林檎/築	ソ	誤答/額
ト	ビ	ラ	暗闇/白魚	生姜		シ	ヨ	ウ	ガ
ノ	扉/羽化	ウB	カ			駆使	ウ	塗装/洋菓子	ク
百合/槍	ユ	オ	ケ	湯桶	ス	ジ	ガC	ネ	筋金
ヤ	リ	苺/弓	イ	チ	ゴ	獅子	シ	ギ	ン
柚子		ユ	ズ	双六	ロ	シ	詩吟/濾紙	葱	
		ミ	家系図/博識	ハ	ク	シE	キ		

AトBウCガDラEシ（唐辛子）

解答

85

86

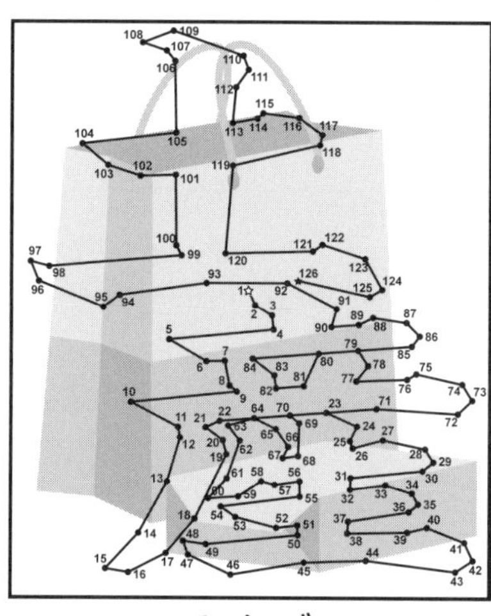

みやげ

87

問題 1

2	3	4	5	6	8	9	7	1
8	9	1	2	4	7	6	5	3
5	6	7	1	9	3	4	2	8
1	7	8	6	3	4	2	9	5
9	2	3	7	5	1	8	4	6
4	5	6	9	8	2	1	3	7
3	4	2	8	1	5	7	6	9
7	8	9	3	2	6	5	1	4
6	1	5	4	7	9	3	8	2

問題 2

8	3	2	6	1	5	9	4	7
7	6	4	8	3	9	1	2	5
9	1	5	7	4	2	6	8	3
6	2	7	4	9	1	5	3	8
5	8	1	2	6	3	4	7	9
3	4	9	5	8	7	2	6	1
1	7	6	9	2	8	3	5	4
2	5	3	1	7	4	8	9	6
4	9	8	3	5	6	7	1	2

88

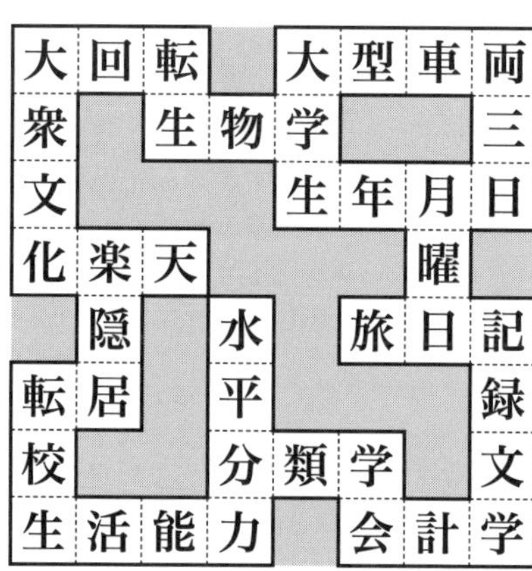

旅芝居

89

ジ	ユ	シ	恩師 / 樹脂	オ	ウ	ボ	毒 / 印紙	ド	ク
ク	指紋 / 軸	シ	モ	ン E	応募 / 外郎	ウ	イ	ロ	ウ
粥 / 福祉	カ	ユ	主審	シ	ユ	シ	ン	泥 / 空輸	ユ
フ	キ	ン	布巾		帽子		シ	ユ B	優劣 / 任
ク	牡蠣 / 思春期	キ					朱 / 海胆	ウ	ニ
シ	ジ A	指示 / 牝牛	浴衣		暖簾		ノ	レ	ン
夢 / 指導	ユ	メ					ザ	ツ	雑 / 支度
シ	ヨ	ウ	ユ	醤油 / 杭	タ	イ	ワ	対話 / 畏怖	シ
ド	授与 / 資格	シ	カ	ク	棚板 / 委託	タ D	ナ	イ	タ
ウ C	ス	大陸 / 臼	タ	イ	リ	ク	野沢菜 / 服	フ	ク

A ジ B ユ C ウ D タ E ン （絨毯）

90

91

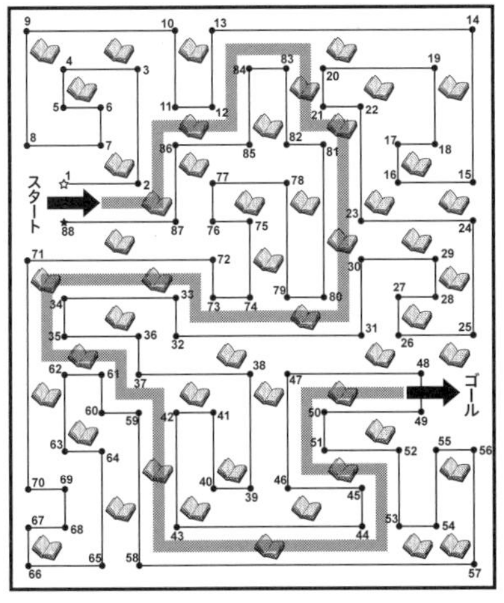

13冊

92

問題 1

6	5	8	7	4	2	3	1	9
1	4	2	3	9	8	6	7	5
7	3	9	5	6	1	2	8	4
4	8	3	2	5	6	1	9	7
2	1	5	4	7	9	8	3	6
9	6	7	8	1	3	4	5	2
5	7	6	1	8	4	9	2	3
3	9	1	6	2	7	5	4	8
8	2	4	9	3	5	7	6	1

問題 2

5	2	6	7	4	3	8	9	1
9	1	4	5	2	8	6	3	7
8	3	7	1	9	6	5	4	2
2	6	3	8	7	5	4	1	9
4	8	9	6	1	2	3	7	5
7	5	1	9	3	4	2	8	6
3	9	5	2	8	1	7	6	4
6	7	8	4	5	9	1	2	3
1	4	2	3	6	7	9	5	8

93

人	権	宣	言		有	名	人
力			行	商	人		造
車	内	灯			飛		人
	祝			試	行	期	間
有	言	実	行			待	
効				動		感	動
期		絶	縁	物			植
限	定	版		園	芸	作	物

充実感

94

雑巾		キ	ゴ	季語 岸辺	レ B	イ	東子		
		ゾ	ウ	キ	ン	例 廉価			
セ	九九 正統派	ク	ク	号 仕方	シ	カ	タ		
イ C	ク	サ	帰属 課題	ス	ベ	術 鳩	ワ	キ	メ
ト	戦 草陰	カ	ダ	イ	梯子 移住	ハ	シ	ゴ	脇目 着心地
ウ	タ	ゲ	宴 推挙	キ A	イ	ト	生糸 鯉	コ	イ
ハ	ケ	丈 師事	シ	ヨ	ジ	韻 湯煎	イ	チ	ズ D
刷毛		ア	ジ	所持 堀	ユ	セ	ン	一途 泉	ミ
		ズ	鯵 小豆	ホ	ウ	キ	箒		
		キ E	ヨ	リ	責務 距離	ム			

A	B	C	D	E
キ	レ	イ	ズ	キ

（綺麗好き）

95

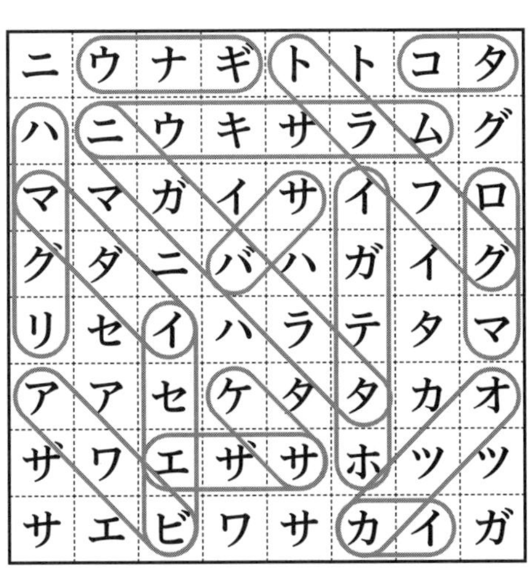

96

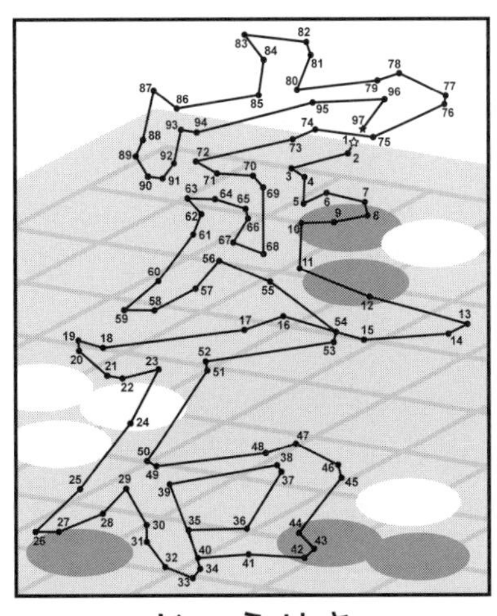

じょうせき

解答

97

自	己	中		地	方	都	市
治		核		産			販
団		市	街	地		名	品
体	表			消		誉	
	現		前		中	心	地
体	力		人		間		下
験			未	開	発		鉄
談	論	風	発		表	街	道

遠心力

98

定規		オ	飛翔 予算	ヒ	シA	ヨ	ウ	鋸	
		ジ	ヨ	ウ	ギ	喉	ジ		
ニD	ラ	叔父 韮	サ	オ	試技 竿	ノ	コ	ギ	リ
シ	ン	セ	ン	氷魚 宿	ヤ	ド	氏子 濾過	ロ	カ
キ	欄 扇子	ン	新鮮 霞	釘		珍	チ	ンE	李下 文句
錦 脚	カ	ス	ミ			ク	ギ	議論 稚魚	モ
ア	ン	案 竹刀	ツ	タ	蔦 除菌	ジ	ヨ	キ	ン
シ	ナ	イ	蜜 余白	イ	チ	ヤ	陸 孫	リ	ク
鉋		ヨB	ハ	ク	一夜 隈	クC	マ	錐	
		ク	退屈 意欲	ツ	ボ	孔雀 坪	ゴ		

A シ B ヨ C ク D ニ E ン（職人）

99

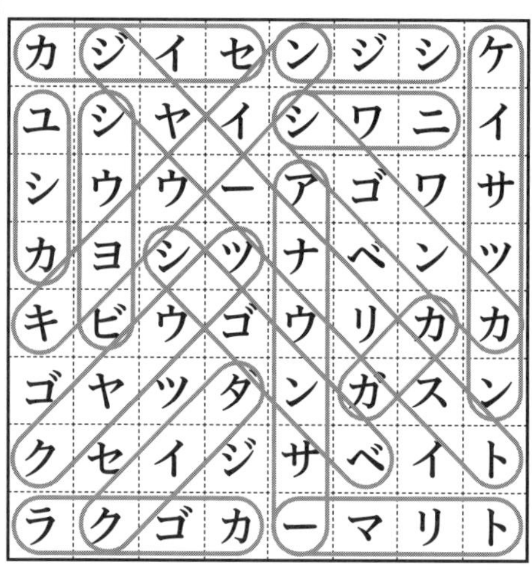

100

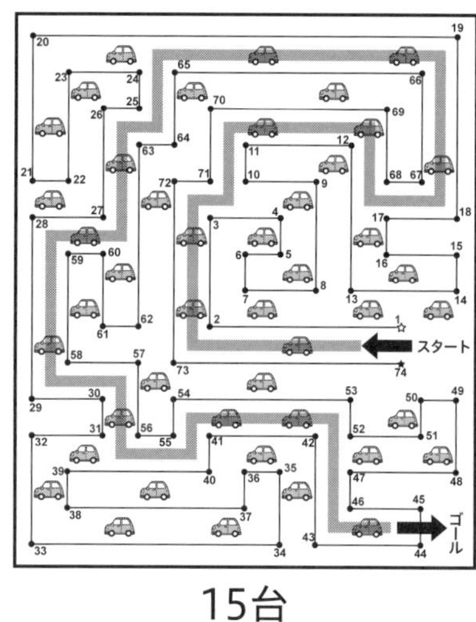

15台

問題作成　株式会社スカイネットコーポレーション
装幀デザイン　村田 隆（bluestone）
組版・本文デザイン　朝日メディアインターナショナル株式会社
イラスト　瀬川尚志（P4 ～ 7）

〈監修者〉
篠原菊紀（しのはら・きくのり）
公立諏訪東京理科大学情報応用工学科教授、医療介護・健康工学部門長。1960年生まれ、長野県茅野市出身。東京大学教育学部卒業後、同大学院教育学研究科修了。「学習しているとき」「運動しているとき」「遊んでいるとき」など、日常的な場面で、脳がどのように活動しているかを研究している。子どもから高齢者まで、脳トレ、勉強法、認知機能低下予防などの著書や教材を多数開発。テレビや雑誌、ラジオなどを通じ、脳科学と健康科学の社会応用を呼びかけている。主な監修書に、『100歳までボケない脳になる！　1日3分脳トレ算数パズル366』『死ぬまでボケない脳になる！　1日1分「脳トレ」366』（ともにPHP研究所）など。

超難問でボケ退治！ 1日1問 鬼脳トレ100

2021年12月2日　第1版第1刷発行
2024年5月24日　第1版第3刷発行

監修者　篠原菊紀
発行者　村上雅基
発行所　株式会社PHP研究所
京都本部　〒601-8411　京都市南区西九条北ノ内町11
〔内容のお問い合わせは〕暮らしデザイン出版部 ☎075-681-8732
〔購入のお問い合わせは〕普及グループ ☎075-681-8818
印刷所　図書印刷株式会社

ISBN978-4-569-85104-4